D1085578

AURORE
L'ENFANT MARTYRE

VICTIME INNOCENTE
D'UNE FEMME CRUELLE

VICTOR MILLER

AURORE
L'ENFANT MARTYRE

VICTIME INNOCENTE
D'UNE FEMME CRUELLE

EDIMAG
PRÈS DU PUBLIC

Du même auteur:
Yasser Arafat, héros des Palestiniens, © Edimag, 2002
Les grands messagers sont parmi nous, © Edimag, 2003

C.P. 325, Succursale Rosemont,
Montréal (Québec) Canada   H1X 3B8

Téléphone: (514) 522-2244
www.edimag.com
Courrier électronique: info@edimag.com

Éditeur: Pierre Nadeau
Coordonnateur: Jean-François Gosselin
Illustration: Michel Poirier
Correction: Véronique Leblanc

Les photos contenues dans ce livre ont été prises au Centre d'interprétation de
Fortierville et dans la municipalité de Fortierville avec l'aimable collaboration
de Denis Lebon. Le Centre d'interprétation de Fortierville est ouvert aux visi-
teurs durant la saison estivale (www.fortierville.com).

Dépôt légal: deuxième trimestre 2005
Bibliothèque nationale du Québec
Bibliothèque nationale du Canada

© 2005, Édimag inc.
ISBN: 2-89542-167-6

Québec ▪▪   Canada ▪▪

L'éditeur bénéficie du soutien de la Société de développement des entreprises
culturelles du Québec pour son programme d'édition.

Nous reconnaissons l'aide financière du gouvernement du Canada par l'entremise du Programme d'aide au développement de l'Industrie de l'édition
(PADIÉ) pour nos activités d'édition.

*Ce livre est dédié à tous les enfants qui souffrent
ainsi qu'à tous ceux et celles qui n'hésitent pas
à s'interposer pour les protéger.*

*Remerciements spéciaux à Denis Lebon
du Centre d'interprétation de Fortierville
pour son aimable collaboration,
ainsi qu'aux responsables des Archives nationales
du Québec pour leur professionnalisme
et leur enthousiasme.*

Montréal
capitale mondiale
du livre
2005
|2006

DISTRIBUTEURS EXCLUSIFS

POUR LE CANADA ET LES ÉTATS-UNIS
LES MESSAGERIES ADP
2315, rue de la Province
Longueuil (Québec) CANADA J4G 1G4

Téléphone: (450) 640-1234   Télécopieur: (450) 674-6237

POUR LA SUISSE
TRANSAT DIFFUSION
Case postale 3625
1 211 Genève 3   SUISSE

Téléphone: (41-22) 342-77-40 / Télécopieur: (41-22) 343-46-46
Courriel: transat-diff@slatkine.com

POUR LA FRANCE ET LA BELGIQUE
DISTRIBUTION DU NOUVEAU MONDE (DNM)
30, rue Gay-Lussac
75005 Paris FRANCE

Téléphone: (1) 43 54 49 02 / Télécopieur: (1) 43 54 39 15
Courriel: liquebec@noos.fr

TABLE DES MATIÈRES

INTRODUCTION
L'IMPARDONNABLE VIOLENCE

AURORE, L'ENFANT MARTYRE. L'épouvantable histoire d'Aurore Gagnon a ému la population du Québec au début des années 1920: une femme martyrise jusqu'à la mort la fillette de son nouveau mari. Un long procès révèle les détails de ce drame humain et dresse un portrait peu flatteur de cette femme, Marie-Anne Houde, qui s'etait introduite dans la famille Gagnon comme aide domestique.

Au delà de l'aspect folklorique qui s'est greffé à cette histoire au fil des décennies, il ne faut pas perdre de vue que ce drame a véritablement eu lieu à une époque pas si lointaine, et que des situations plus ou moins identiques – et parfois pire – sont le lot des travailleurs sociaux d'aujourd'hui.

Ce livre raconte une histoire triste par l'entremise des témoignages des voisins et des membres de la famille lors des enquêtes préliminaires et durant les procès de Marie-Anne Houde et de Télesphore Gagnon. Les articles de journaux de l'époque révèlent aussi des détails sur ce que l'on considère comme inimaginable. Comment une femme peut-elle en arriver à battre une fillette sans défense et à la brûler avec un tisonnier? Comment une personne saine d'esprit peut-elle haïr une enfant de 10 ans jusqu'à lui infliger des coups avec un manche de hache, et ce jusqu'à la perte de conscience? Comment un père de famille peut-il frapper de toutes ses forces, à coup de fouet, sur une enfant? Les témoins – même les enfants naturels de Marie-Anne Houde – ont raconté devant la cour les sévices qu'endurait Aurore Gagnon. Le cauchemar avait commencé peu après le mariage de Marie-Anne Houde avec Télesphore Gagnon, père d'Aurore et veuf depuis une semaine seulement.

Des questions sont aussi restées sans réponse. Marie-Anne Houde aurait-elle eu un rôle à jouer dans la mort du petit frère d'Aurore, retrouvé étouffé sous une paillasse? Aurait-elle précipité la mort de la mère naturelle d'Aurore Gagnon pour pouvoir marier son mari?

Le fait que cette histoire d'horreur se soit déroulée à une époque où les méthodes d'éducation laissaient peu de place à la psychologie ne doit pas être un argument servant à minimiser ce drame. Les gens à cette époque étaient des parents aussi attentionnés envers leurs enfants que ceux d'aujourd'hui. En 1920, la «correction» des enfants n'était pas remise en question, mais la brutalité n'avait pas sa place dans les familles.

À l'époque du procès de Marie-Anne Houde, certains ont pointé du doigt et accusé la population de Ste-Philomène de Fortierville d'indifférence face au sort de la petite Aurore Gagnon. Pourtant, selon les témoignages, plusieurs citoyens du village ont tenté d'intervenir auprès des deux parents et ont aussi essayé d'attirer l'attention des autorités sur ce cas. De plus, il ne faut pas oublier que, à cette époque, et surtout l'hiver, certaines familles pouvaient vivre isolées durant de longues semaines. Les pires sévices qu'aurait eu à endurer Aurore semblent avoir été infligés justement durant l'hiver 1919-1920. Il est alors permis de croire que la belle-mère profitait de cette période de plus grand isolement pour accentuer sa charge contre l'enfant.

Les cas plus contemporains de mauvais traitements comportent aussi un facteur d'isolement. Ce qui permet au «bourreau» de mieux contrôler ses victimes et d'éviter d'être découvert.

Lorsque j'ai parlé de ce projet de livre autour de moi, j'ai eu droit à plusieurs commentaires qui m'ont intrigué. Ce n'est pas tant ce que l'on disait, mais plutôt la façon dont on commentait cette histoire. On semble considérer qu'elle a été exagérée, amplifiée et romancée, et que ce qui nous est parvenu n'est pas conforme avec la vérité. Après avoir fait les recherches dans les archives judiciaires pour l'écriture de ce livre, j'ai constaté au contraire, que ce que nous en avons retenu est en deçà de la véritable histoire.

L'histoire d'Aurore Gagnon est un véritable drame d'une épouvantable tristesse. Un drame qui s'est joué dans le Québec des années 1920 et qui, aujourd'hui, doit résonner dans nos mémoires comme un rappel pour protéger les enfants des abuseurs.

Comme les gens de Fortierville de l'époque, nous devons ouvrir les yeux et ne pas passer notre chemin sans dénoncer les abus. Heureusement, aujourd'hui, certains organismes peuvent intervenir plus efficacement.

Aujourd'hui, au Québec, la Direction de la protection de la Jeunesse (DPJ) reçoit plus de 50 000 signalements d'abus chaque année. Pour faire un signalement à la DPJ, il n'est pas nécessaire d'attendre d'être parfaitement sûr ou d'avoir des preuves de mauvais traitements. Lorsqu'une personne fait un signalement, elle doit fournir les informations permettant d'identifier l'enfant en question ainsi que son lieu de résidence et toutes les informations sur la situation, en décrivant les faits qui laissent penser qu'il y a un enfant en difficulté. Il est écrit très clairement sur le site Internet de la DPJ (www.cdpdj.qc.ca) que toute personne qui a un motif raisonnable de croire qu'un enfant est victime d'abus sexuels ou de mauvais traitements physiques doit, sans délai, le signaler à la DPJ.

Sur le même site Internet, un document est disponible pour aider à identifier les situations où la sécurité ou le développement d'un enfant est compromis ou peut être considéré comme compromis. Par exemple, si les parents manifestent de l'indifférence de façon répétée face à des demandes de l'école concernant le soin, l'entretien et l'éducation des enfants, si un enfant dit qu'il est souvent mis à la porte lors de crises familiales, s'il y a privation régulière ou continue de soins de la part des parents, s'il y a renforcement négatif des parents à l'égard de l'enfant, etc.

Bien sûr, il ne s'agit pas de partir à la chasse aux sorcières. Si un cas paraît suspect, le mieux est toujours d'en parler avec des gens en contact avec l'enfant, comme à l'école avec les professeurs ou directement avec un intervenant de la DPJ.

Les enfants représentent notre avenir à tous, c'est notre plus grande richesse.

CHAPITRE PREMIER
L'ENQUETE DU CORONER

Au Centre d'interprétation de Fortierville, cette maquette représente la maison de la famille de Télesphore Gagnon, telle qu'on aurait pu la voir en 1920.

PAR CE MATIN FROID et humide du 14 février 1920 le constable Couture de la Police Provinciale se tenait debout dans la neige devant la maison de Télesphore Gagnon. Il devait faire enquête dans une affaire louche et peu banale. Toute l'expérience que l'on peut avoir accumulée au cours d'une carrière dans la police ne peut préparer à affronter toutes les situations. Hier, le constable Couture avait dû emporter le cadavre d'une fillette de dix ans jusqu'à la sacristie de l'église. C'était pas beau à voir. Lorsque le constable avait enveloppé l'enfant dans un drap, pour la transporter, la petite tête était retombée sur son épaule et il avait pu constater de nombreuses plaies. Certaines laissaient échapper du pus. S'il n'y avait eu que cela. Pendant plusieurs heures, hier, en compagnie du coroner Jolicoeur, Lauréat Couture avait entendu des témoins raconter des choses troublantes. Il en avait fait des cauchemars.

Le drame qui aurait été mis en scène dans cette coquette et prospère maison de ferme de Sainte-Philomène de Fortierville semblait tout à fait hors de l'ordinaire. Une histoire qui s'annonçait extrêmement triste. Un peu comme celle que l'on découvrit dans un quartier cossu de Québec en 1915: un petit garçon de 8 ans avait été tenu séquestré pendant toute une année par sa mère devenue folle après la mort de son mari. Après un an, les soupçons de la famille avaient mené à une enquête et à la découverte du petit garçon. Heureusement, malgré des conditions très malsaines, l'enfant n'avait pas conservé de séquelles.

Dans ce cas-ci, par contre, il y avait eu mort, et ce qui s'était passé devait être mis à jour.

Lauréat Couture s'alluma une autre cigarette. La dernière avant d'entrer dans la maison. Il n'aimait pas ce genre d'affaire, quand des enfants étaient victimes. Il avait lui-même deux enfants qui étaient ses petits trésors. S'il fallait qu'il leur arrive malheur.

Un frisson le ramena à la réalité. Il cherchait la motivation nécessaire pour accomplir sa tâche en se remémorant un des témoignages d'hier soir, après l'autopsie de la jeune Aurore Gagnon. Une voisine, Exilda Auger, avait affirmé sous serment devant le coroner William Jolicoeur, que la jeune victime était maltraitée par ses parents.

Dans la salle sous la sacristie, l'autopsie de la fillette avait été pratiquée par le docteur Albert Marois, venu de Québec en compagnie du coroner Jolicoeur et du constable Couture. Le médecin du village voisin, Andronic Lafond, était aussi présent en tant qu'assistant.

— Ça, c'est pas un métier pour moi, pensait Lauréat Couture. Pour pratiquer une autopsie sur un corps, faut avoir le coeur bien accroché, et en plus, quand il s'agit d'un enfant...

***

Pendant qu'Albert Marois et Andronic Lafond tentaient de déterminer la cause de la mort d'Aurore Gagnon, William Jolicoeur et le policier s'affairaient à constituer un jury et à rassembler les témoins princi-

paux pour recueillir leur témoignage. Lorsqu'il y a mort
suspecte, une enquête préliminaire doit déterminer s'il
y a matière à poursuite criminelle et, à cette époque, le
coroner et son équipe devaient se déplacer dans la ville
ou le village où était survenue la mort pour procéder à
l'enquête. Une des premières tâches était de constituer
un jury de six hommes que l'on assermentait pour l'occasion et qui devait émettre un verdict.

Cinq premiers témoins furent entendus à la fin de
l'après-midi du 13 février 1920. Prenant place dans l'église
du village, les six membres du jury étaient assis sur le premier banc. Le coroner Jolicoeur et le constable Couture
leur faisaient face, assis derrière une petite table que l'on
avait amenée de la sacristie. La lumière du jour fuyait rapidement en février et on avait dû amener de l'éclairage
d'appoint pour permettre au coroner de prendre des
notes. Les quelques lampes placées tout autour don-
naient un aspect surnaturel à la scène.

Le premier témoin fut introduit. Il s'agissait de
madame Arcadius Lemay, née Exilda Auger, voisine de
la famille Gagnon. Elle prit place, debout, derrière une
petite balustrade située à mi-chemin entre les jurés et la
table du coroner.

Après qu'elle ait prêté serment, le coroner lui men-
tionna qu'elle devrait dire tout ce qu'elle savait qui
puisse aider à éclairer l'affaire Aurore Gagnon.

Télesphore Gagnon et Marie-Anne Caron, le père et la mère naturelle d'Aurore, la journée de leur mariage en 1907.

L'église de Ste-Philomène de Fortierville, en 1920, où furent entendus les témoins lors de l'enquête du coroner William Jolicoeur. C'est à l'arrière de l'église, dans la salle sous la sacristie, que fut pratiquée l'autopsie.

L'église de Fortierville a été construite en 1882 au coût de 11 000 $. Quelques rénovations mineures ont été apportées, mais la majeure partie de l'édifice est d'époque. Les cloches sont toujours actionnées manuellement à l'aide de cordes. Lors des visites guidées, durant la saison estivale, on fait d'ailleurs voir aux visiteurs les codes pour activer les cloches selon les différents événements à annoncer.

– L'été dernier, je me suis aperçue que Marie-Jeanne commençait à se faire battre. C'est madame Télesphore Gagnon elle-même qui me l'a dit. La petite Marie-Jeanne a déserté. Dans les alentours du début janvier, monsieur et madame Télesphore Gagnon sont venus chez moi pour veiller et m'ont dit qu'ils étaient obligés de battre Aurore pour la corriger.

Au mois d'août 1919, madame Gagnon m'a dit, lors d'une visite chez elle, que tous les deux avaient battu Aurore avec un manche de hache. Elle me l'a montré en ajoutant que la petite était bien vicieuse.

Quelques temps après, ne voyant pas la petite fille et n'ayant aucune nouvelle d'elle, j'y suis allée et j'ai vu qu'Aurore avait des plaies sur le visage. On m'a dit qu'elle était tombée sur le poêle.

Le 2 février dernier, je suis allée chez Télesphore Gagnon et, sachant que la petite était malade, je me suis informée d'elle. Ils m'ont répondu qu'elle était en haut et ils ne m'ont pas offert d'aller la voir. Le 9 février, je suis retournée chez les Gagnon et, sans demander la permission, je suis montée pour voir la petite. Je l'ai trouvée dans un coin du grenier sur un grabat composé d'une petite couverture grise et d'un oreiller. À côté d'elle, sur un petit meuble, une assiette contenait deux patates et un couteau. En me voyant arriver, la petite s'est appuyée sur un coude. Elle pouvait à peine se

C'est au pied de l'escalier menant à l'autel que prenaient place le coroner Jolicoeur, le constable Couture et les six membres du jury lors de l'enquête préliminaire concernant la mort de la petite Aurore Gagnon.

soutenir. Elle m'a dit qu'elle souffrait beaucoup des genoux, mais ne s'est plainte de personne, comme d'habitude. Je ne l'ai pas questionnée non plus. En redescendant, j'ai dit à sa belle-mère, madame Télesphore Gagnon, que l'enfant était bien malade et qu'il vaudrait mieux la faire soigner. Elle m'a répondu: "C'est l'enfant de mon mari. S'il veut la faire soigner, qu'il le fasse. S'il m'apporte des remèdes, je les lui administrerai." Je ne suis retournée là qu'hier, à la demande de madame Gagnon. Elle m'a téléphoné pour me dire qu'Aurore était plus mal encore. J'ai trouvé l'enfant sur un lit dans une chambre. Elle était sans connaissance. Madame Gagnon avait téléphoné au médecin et j'ai moi-même appelé monsieur le Curé. Madame Gagnon m'a alors dit qu'elle avait eu du mal à descendre l'enfant dans ses bras et qu'elle avait demandé à son mari de ne pas aller au bois parce qu'elle trouvait la petite plus mal. Il était parti quand même sans aller voir la petite.

***

Lauréat Couture jetta sur la neige immaculée ce qui restait de la cigarette qui lui servait d'excuse pour retarder son entrée dans la maison de la famille Gagnon. D'habitude, le constable Couture était prompt à remplir son devoir. Mais là, dans cette affaire, il avait de la difficulté à garder sa motivation. Ce matin, sa journée de travail avait commencé bien abruptement avec l'arrestation des deux parents d'Aurore Gagnon sur le parvis de l'église, au sortir des funérailles, arrestation commandée par le coroner Jolicoeur. Les époux Gagnon avait protesté et les autres enfants du couple avait été placés temporairement sous la protection des autorités. Ça fait bien du remue-ménage tout ça.

***

Le deuxième témoin à être entendu était un jeune homme de 16 ans, Émilien Hamel, neveu de Télesphore Gagnon.

— Vers la fin de 1919, j'ai travaillé chez monsieur Télesphore Gagnon, mon oncle. Madame Gagnon est venue dire à son mari qu'Aurore avait volé 10 dollars pour le dépenser. Le père, surpris, lui répondit que c'était impossible. Madame Gagnon a insisté en disant qu'Aurore était une voleuse et qu'elle la battrait si elle recommençait.

La deuxième journée que j'ai travaillé chez les Gagnon, j'ai vu la mère battre Aurore, une fois avec une hart (fine branche d'arbre dont on se servait comme d'un fouet) et une autre fois avec un rondin, durant deux à trois minutes chaque fois. La petite fille pleurait à chaudes larmes. Par la suite, tous les jours, elle a été battue par son père ou par sa mère avec un rondin, une planche ou tout ce qui leur tombait sous la main. Toujours à propos de rien. J'ai dit au père que c'était pas bien de battre un enfant comme ça. Il a répondu qu'il le fallait parce qu'Aurore était incorrigible.

Souvent les autres enfants disaient qu'Aurore voulait téléphoner aux voisins, mais que la mère la battait encore plus pour ça. Sachant que j'avais vu bien des choses, madame Gagnon m'a demandé de ne rien dire à ma mère. Elle m'a aussi dit que son mari battait ses enfants plus souvent qu'il battait ses animaux. Aurore me paraissait pourtant la plus tranquille de toute la famille.

***

En ouvrant la porte de la maison, le constable Couture aperçu tout de suite, près de la table de la cuisine, le grand poêle contre lequel la fillette aurait chuté, d'après le témoignage de la voisine. Le constable laissa la porte ouverte pour faire entrer plus de lumière dans la grande pièce sombre qui servait de cuisine et de salle de séjour. Tout y aurait eu une apparence anodine n'eut été du drame que l'on commençait à peine à mettre au grand jour.

***

Télesphore Gagnon vint à son tour témoigner devant le jury et le coroner. On le fit entrer par une autre porte, car lui et sa femme étaient placés en garde à vue et ne devaient, pour le moment, n'avoir aucun contact avec les autres témoins. Le père entra donc par la porte qui donnait accès à l'arrière de l'autel. En passant tout près, il mit un genou à terre et se signa.

Télesphore Gagnon était cultivateur, charpentier et bûcheron. C'était un homme grand et costaud, à la démarche souple et lente. Malgré ses 37 ans, il avait conservé un air juvénile.

— Je suis marié en secondes noces avec Marie-Anne Houde, veuve de Napoléon Gagnon et mère de quatre enfants de son premier mariage, dit d'emblée Télesphore. J'avais moi-même trois enfants de mon premier mariage et Aurore était la deuxième. Je me suis remarié depuis deux ans. Il y a environ trois semaines, Aurore a eu des bobos sur les bras, sur les jambes et sur le corps. Je n'ai pas regardé le corps de l'enfant pour constater. C'est ma femme qui donnait les soins à l'enfant et je ne m'en occupais pas. Je n'ai pas demandé de médecin pour venir donner des soins à Aurore.

Le père de famille était visiblement nerveux depuis le début de son témoignage. Il tenait son chapeau en le tripotant nerveusement.

— Le docteur Lafond est venu hier, continua-t-il, mais je ne sais pas qui l'a fait demander. Je suis arrivé du bois, hier, vers quatre heures. On était venu me chercher parce que l'enfant était plus mal. En arrivant à la maison, j'ai trouvé Aurore sans connaissance et elle est morte sans reprendre connaissance vers sept heures, hier soir. L'enfant était difficile à élever et je l'ai corrigée plusieurs fois avec une mise de fouet et d'autres fois avec une hart. Je la corrigeais comme ça quand je constatais des méfaits de sa part ou que ma femme me les rapportait. Je n'ai pas eu connaissance que ma femme la battait. Ces jours-ci, l'enfant ne paraissait pas plus mal que d'habitude et se levait encore. Hier matin, elle s'est levée et, dans la matinée, après mon départ, on me dit que son état avait empiré tout à coup.»

Les six membres du jury semblaient un peu décontenancés d'entendre cet homme de bonne allure donner une version des faits si différentes de celle des deux autres témoins.

Arcadius Lemay, le mari d'Exilda Auger, entra à son tour dans l'église par la petite porte située du côté droit du chœur. Il venait tout juste d'arriver du cimetière, car on lui avait demandé de commencer à creuser la fosse où serait ensevelie Aurore le lendemain, après la messe.

L'homme de 53 ans, le dos légèrement courbé suite à l'effort qu'il venait de fournir à l'extérieur, prit place et prêta serment. Il commença son témoignage sans dissimuler un air troublé par tout ce qui arrivait dans la petite paroisse depuis hier.

— Je suis voisin des Gagnon et on se croise régulièrement dans les alentours, raconta Arcadius Lemay. L'automne dernier, je suis allé chez Télesphore Gagnon et j'ai vu la petite Aurore. Elle me paraissait assez bien. Dans la semaine du jour de l'an, Télesphore Gagnon est venu chez moi et m'a dit qu'il pensait bien ne plus battre sa fille Aurore, car c'était devenu inutile. Je ne voulais pas aller chez les Gagnon, car je ne voulais plus être témoin de rien. Le 12 février, monsieur Mailhot est venu me chercher et, comme il est juge de paix, il m'a ordonné de me rendre avec lui chez les Gagnon. J'ai trouvé la petite Aurore dans une bien triste condition et je ne pouvais pas imaginer que l'enfant avait autant de plaies.

L'homme était encore plus troublé qu'au début. On aurait cru qu'il était au bord des larmes.

— Prenez votre temps, monsieur Lemay, le rassura le coroner Jolicoeur.

— Ça va, ça va, gromela Lemay, avec une pointe d'orgueil. À ce moment-là, j'ai voulu quitter la maison, mais le docteur Lafond, qui était déjà sur place, m'a demandé de rester. Il m'a aussi demandé si j'avais posé ma main sur la tête de la fillette. Un peu surpris j'ai répondu que non. Il m'a demandé de le faire.

Encore une fois, Arcadius Lemay dut faire une pause pour ravaler ses émotions. Les six hommes du jury étaient tous figés malgré l'inconfort du banc de bois sur lequel ils étaient assis depuis 90 minutes au moins. Ils étaient suspendus aux lèvres du témoin.

Surtout par délicatesse, le coroner ne dit quoi que ce soit, laissant le temps à Lemay de se ressaisir.

— J'ai approché ma main droite de la petite tête, continua Lemay en se raclant la gorge. L'enfant était sans connaissance. J'ai constaté que les os de son crâne bougeaient sous mes doigts. Il y avait aussi plusieurs plaies sur son cuir chevelu.

Arcadius Lemay se retira. Sans aucun doute, ce fut un témoignage difficile.

L'autre témoignage fut celui de la soeur ainée d'Aurore, Marie-Jeanne. La jeune fille de 12 ans entra dans la grande salle de l'église. Tête baissée, elle marcha vers la petite tribune des témoins.

Après l'assermentation, elle commença.

— Je suis la soeur d'Aurore. Il y a trois semaines, elle a commencé à avoir des boursouflures, sur le corps et les membres, qui se sont crevassées et ont suppuré. Depuis cinq jours seulement, elle a commencé à empirer. Je n'ai jamais eu connaissance que mon père ou ma mère ait corrigé Aurore. Hier matin, elle a déjeuné avec des patates, de la viande et une beurrée de sirop. À neuf heures dans l'avant-midi, après que maman l'eut lavée, elle s'est recouchée. Vers onze heures, elle a commencé à délirer. Ma mère a téléphoné au docteur Lafond et il est venu dans l'après-midi, mais Aurore était sans connaissance. Elle est morte le même soir. Dans la matinée, je lui avais souvent donné de l'eau chaude parce qu'elle demandait constamment à boire.

Un témoignage tout à fait différent de ceux d'Exilda Auger, d'Arcadius Lemay et d'Émilien Hamel. L'opinion des membres du jury était partagé. Toutefois, le témoignage suivant allait être déterminant.

Un peu après six heures trente, le docteur Albert Marois, qui venait de terminer l'autopsie sur le corps d'Aurore Gagnon, vint faire son rapport.

– J'ai fait en ce jour, assisté du docteur Lafond, l'autopsie du cadavre d'une fillette de 10 ou 11 ans, mesurant environ 4 pieds et demie. À l'examen externe, on peut remarquer un grand nombre de blessures, entre autres à la surface externe du genou droit, une grande plaque noirâtre de deux pouces et demi de diamètre avec deux petites ouvertures de chaque côté. Si on appuie sur la surface externe du genou, il en sort du pus. Un pouce plus bas, on trouve une autre plaque parcheminée d'un pouce et demi de diamètre. À la moitié supérieure de la jambe droite, on remarque une blessure à la surface de la peau de quatre pouces par un pouce et demi. Sur la partie inférieure arrière de la même jambe on trouve encore deux autres plaques parcheminées. Sur la surface du pied droit, il y a une blessure de deux pouces par un demi pouce. Sur le talon, on trouve une plaque noirâtre.

La description se poursuivit péniblement pendant de longues minutes. Les six membres du jury n'en croyaient pas leurs oreilles et étaient visiblement ébranlés par des détails épouvantables. Au total, plus de 54 plaies dues à des coups ont été dénombrées, en plus des cicatrices dont la cause ne pouvait être identifiée.

– La cause de la mort, termina le docteur Marois, est un empoisonnement général causé soit par septicémie (empoisonnement du sang par le développement de germes toxiques) ou autres causes que l'analyse seule des viscères pourra déterminer. L'autopsie démontre d'une façon évidente que la défunte n'a pas reçu les soins que requérait son état. Elle est morte des suites de coups directs et non pas de maladies.

Le docteur Marois n'est pas un homme de stature imposante, mais c'est un individu qui commande le respect par son sérieux et son assurance. Au moment de cette enquête, il avait 59 ans. Il pratiquait la médecine depuis 38 ans et était médecin légiste depuis 20 ans. Il parle avec préscision et donne l'impression de connaître à fond son métier. Le jury est alors fort impressionné par la minutie de ses observations. Tout au long de cette histoire, même au procès lorsque l'avocat de la défense tentera de le déstabiliser, le docteur Marois agira en professionnel compétent et sûr de son jugement.

Les membres du jury n'eurent pas à délibérer longuement. Certains témoignages et surtout l'état du cadavre de la fillette ne laissaient pas d'autres choix que d'assigner les époux Gagnon à une enquête criminelle. Tout le monde était d'accord avant même le début formel des discussions.

Le document officiel fut rempli sur place par le coroner William Jolicoeur.

«À l'enquête instituée et prise par Notre Souverain Seigneur le ROI en la localité de Ste-Philomène de Fortierville dans le district de Québec *le treizième jour de février* mil neuf cent *vingt* après ajournement le [espace vide] et continué le [espace vide] dans la *onzième* année du Règne de Notre Souverain Seigneur GEORGE V, par la grâce de DIEU, Roi du Royaume-Uni, de la Grande-Bretagne et d'Irlande et des possessions britanniques au-delà des mers, Défenseur de la Foi, Empereur des Indes, devant *Georges William Jolicoeur*, Coroner de Notre dit Roi, dans et pour le district, en vue du cadavre de *Aurore Gagnon âgée de dix ans et demi, enfant de Télesphore Gagnon des paroisses, comté et district susdits cités et sous serment de : Archille Laquerre, Louis Laliberté, Josaphat Auger, Ovide Demers, Casimir Chénard et Léide Laquerre.*

Les six personnes ci-dessus mentionnées ayant qualité pour servir comme jurés, après avoir été requises par Notre dit Souverain Seigneur le Roi, de déterminer quand, où et comment et de quelle manière le dit : *Aurore Gagnon* est mort, déclarent sous serment que le dit : *Aurore Gagnon le douze février année susdite est morte d'empoisonnement général soit par septicémie, soit par autres causes que l'analyse seule pourra déterminer. Les jurés déclarent que la défunte n'a pas reçu de ses parents les soins que requérait sont état, et que ces derniers ont fait preuve de négligence coupable.*

En foi de quoi, le dit Coroner aussi bien que les membres du jury ont apposé, les jour et an susdits, leurs signature à cette enquête. (Ceux qui ne peuvent signer doivent apposer leur marque devant témoin.)

***

Après avoir fait le tour du rez-de-chaussée et avoir noté ses observations, le constable Couture monta à l'étage par l'escalier étroit qui débouchait près du mur au fond de la cuisine.

La grande pièce du haut était plus froide que le rez-de-chaussée. La seule source de chaleur provenait d'un tuyau

Affaire mystérieuse à Fortierville

En ce 14 février 1920, Sainte-Philomène-de-Fortierville est en deuil. Le village se presse aux obsèques d'Aurore Gagnon, une fillette de dix ans que le Bon Dieu a rappelée auprès de Lui. Une mauvaise surprise attend tout un chacun à la sortie de l'église.

st dans le sous-sol de la sacristie, sise à l'arrière de l'église de Sainte-Philomène, qu'un médecin légiste de Québec a procédé à l'autopsie

Quelques mois avant la mort d'Aurore Gagnon, Télesphore Gagnon et Marie-Anne Houde se faisaient photographier. Bien peu de documents existent sur lesquels on peut voir les membres de la famille Gagnon. Cette copie d'une page de journal fait partie des documents que l'on peut voir au Centre d'interprétation de Fortierville.

de poêle qui passait dans la pièce avant de sortir à l'extérieur par le mur opposé à l'escalier.

Ce qui semblait servir de chambre était dans un état lamentable. Une odeur de moisissure était présente et une grande malpropreté y régnait. Une commode, un lit de bois avec un petit matelas et une paillasse à même le sol constituaient le seul mobilier. Mais ce qui attira d'abord l'attention du constable fut le grand nombre de taches brunâtres qui souillaient le plancher et les murs, surtout en périphérie de la paillasse.

Le constable s'agenouilla près d'une série de tâches sur le bas du mur. C'était comme si un liquide avait giclé et éclaboussé à plusieurs endroits.

– Mon dieu, pensa Couture. J'espère me tromper.

En s'approchant pour mieux voir, ses craintes se confirmèrent. Toutes ces taches étaient des taches de sang séché.

***

– Monsieur Couture, fit le coroner d'une voix lasse en sortant de l'église, demain vous devrez mettre les parents Gagnon en état d'arrestation pour l'enquête préliminaire. Deux agents de la police de Québec seront ici pour les conduire à la prison.

– Ça semble être une histoire assez sordide, fit remarquer le constable.

– Nous avons fait notre travail. Pour ce qui est de la suite, nous verrons bien. Demain, après l'arrestation, je confierai les enfants Gagnon à la voisine, madame Lemay. Je vais prendre un arrangement avec elle dès ce soir. De votre côté, vous irez à la ferme Gagnon pour y faire un rapport détaillé de l'état des lieux.

– À demain, monsieur Jolicoeur.

– À demain.

William Jolicoeur partit à pied vers le presbytère. Le curé lui avait offert le gîte pour la nuit, ainsi qu'au docteur Marois. De son côté, malgré la noirceur, Lauréat Couture prenait la route pour se rendre chez un cousin qui habitait Parisville, le prochain village en direction du fleuve.

***

Le samedi matin, durant le service de la petite Aurore, l'atmosphère était tendu dans la petite église. Le curé Ferdinand Massé, dans la paroisse depuis 2 ans, connaît assez bien ses paroissiens pour orienter ses interventions en chaire. Certains avaient déjà commencé à répandre des rumeurs. Durant les quatre années que Marie-Anne Houde avait passées dans la famille Gagnon, elle ne s'était pas fait beaucoup d'amis. D'un caractère plutôt désagréable, elle n'était pas très engageante.

– Notre petite communauté est aujourd'hui touchée par un drame et par une peine qui doit renforcer notre foi en Dieu. Ceux qui auraient trop d'empressement à se substituer au jugement de la justice de Dieu et à celui de la justice des hommes devront demander pardon. Il ne nous appartient pas de faire le procès de quiconque. Je vous invite tous plutôt à tourner vos pensées et vos prières vers la petite Aurore, acheva le curé. Que Dieu ait son âme. Restons tous solidaires pour traverser cette période difficile qui frappe toute notre communauté.

Plusieurs se doutaient bien que les époux Gagnon étaient maintenant soupçonnés de négligence grave. Le contenu du rapport d'autopsie et les conclusions du docteur Marois sur les causes de la mort d'Aurore, quoique confidentiels, avaient très rapidement trouvé écho dans le village. Personne ne connaissait encore le verdict du jury de l'enquête du coroner, mais le fait que des agents de la Police Provinciale et de la police de Québec étaient dans le village éveillait les soupçons quant aux suites de l'affaire.

Depuis la veille, chacun y allait d'anecdotes et de souvenirs sur ce que tel ou tel autre avait vu ou entendu dans l'entourage des Gagnon. Les faits et les rumeurs se mélangeaient dans les discussions. Des faits qui dataient de quelques années revenaient en lumière et, aujourd'hui, on les analysait autrement.

La première épouse de Télesphore Gagnon, Marie-Anne Caron, était décédée à l'asile de Beauport, des suites d'une longue maladie. Marie-Anne Houde était venue s'installer chez les Gagnon en 1916 durant la maladie de Marie-Anne Caron. Elle cherchait une façon de pouvoir nourrir ses quatre enfants après la mort de son mari.

Elle se proposa donc comme aide domestique contre le logement et la nourriture. Un peu plus d'an plus tard, le 6 novembre 1917, le plus jeune enfant de Télesphore Gagnon et de Marie-Anne Caron était trouvé étouffé sous une paillasse.

À ce moment-là, la mort du petit Joseph fut considérée comme un accident malheureux et aucune enquête ne fut ouverte. Trois mois plus tard, c'était au tour de Marie-Anne Caron de s'éteindre à l'asile de Beauport.

Ce qui fit beaucoup jaser fut le mariage de Telesphore Gagnon avec Marie-Anne Houde, une semaine à peine après la mort de Marie-Anne Caron. Une permission spéciale de l'archevêché fut accordée pour rendre possible cette union.

Deux ans plus tard, presque jour pour jour, cette nouvelle affaire venait toucher les résidents de Ste-Philomène dans leur dignité. Les gens de la région sont à peu près tous des descendants des premières familles qui vinrent bâtir l'intérieur du pays dans les années 1850. Plusieurs générations de cultivateurs et de bûcherons avaient trimé dur pour défricher les terres et pour cultiver, à la sueur de leur front, avec des équipements rudimentaires. Ils ont bâti des maisons et élevé des familles en ne comptant que sur eux-mêmes et sur l'entraide entre voisins. Le tissu humain de ces communautés était tissé très serré et ce genre de drame venait affecter les gens dans leur fierté. Plusieurs se sont sentis impuissants face à ce qu'ils avaient constaté aux alentours de la famille Gagnon. À cette époque, les structures juridiques et sociales ne permettaient que difficilement d'acheminer des signalements de violence envers des enfants à des personnes en autorité.

***

La grande pièce du haut était vraiment malpropre. Le constable Couture prit note de tout ce qu'il remarquait avant de saisir les pièces à conviction pour l'enquête préliminaire qui aurait lieu dans quelques jours à Québec.

Du sang, le constable Couture n'en trouva pas seulement sur le plancher et les murs, il y en avait aussi sur la paillasse, sur une petite couverture de coton et sur une jaquette qui traînaient près de la paillasse.

Il y avait aussi une hart sur le plancher. Probablement celle utilisée par Télesphore Gagnon. Tous ces objets constituaient des pièces à conviction et le constable Couture les descendit à l'étage du bas afin de les emballer avant de les placer dans sa voiture.

Comme il était à mi-chemin dans l'escalier, Couture entendit un bruit de pas. Quelqu'un venait de sortir prestement par la porte d'entrée de la maison restée ouverte.

– Ça, c'est ma faute, se dit le constable. J'aurais pas dû laisser cette porte ouverte. C'est une belle invitation à venir mettre son nez ici. Il faudra que j'aille parler aux voisins avant de quitter l'endroit.

Environ trente minutes plus tard, le constable Couture sortit avec un grand sac contenant les pièces à conviction. Malgré l'éblouissement que causait le plein soleil sur la neige, il aperçu une petite silhouette qui disparut rapidement derrière la petite grange peinte en blanc, à dix mètres à droite de la maison.

– Eh! cria Couture. Police, venez ici!

Malgré toute l'autorité qu'il réussit à mettre dans son appel, le constable ne pensait pas vraiment avoir de résultat. La couche de neige était encore épaisse et poudreuse et il n'était pas équipé pour prendre en chasse quelqu'un qui connaissait bien les alentours. Il espérait que rien ne disparaisse avant une prochaine visite des lieux, si l'on se rendait à un procès.

Après avoir placé les pièces à conviction dans sa voiture, le constable roula lentement sur la route enneigée en direction de la maison d'Arcadius Lemay, le plus proche voisin, à qui le coroner Jolicoeur avait confié temporairement les enfants Gagnon.

La maison se dressait sur deux étages à quelques trois mètres du chemin principal. La voiture à peine arrêtée devant la maison, Arcadius Lemay sortit en simple chemise par la porte de devant et, tout en restant sur la galerie, il s'adressa au constable.

— Bonjour, monsieur l'agent, salua Lemay.

Malgré la politesse, Couture sentait que l'homme de 53 ans à la tignasse épaisse et grise ne tenait pas trop à engager de discussion prolongée.

— J'aimerais vous demander, monsieur Lemay, de jeter un coup d'oeil de temps en temps sur la maison de Télesphore Gagnon. Je reviendrai probablement d'ici

Une autre photo de Marie-Anne Houde, «la marâtre», prise avant la mort d'Aurore.

quelques jours pour continuer l'enquête et interroger quelques personnes. Vous ferez probablement partie de ces personnes. Si des souvenirs vous reviennent, notez-les pour ne pas les oublier.

À la fin du 19e siècle et au début du 20e siècle, la vie était dure, mais les gens étaient des bâtisseurs, malgré le peu de moyens qu'ils avaient.

Sur cette photo, les hommes défrichent la forêt pour ériger ce qui deviendra Fortierville.

Au Centre d'interprétation de Fortierville, on peut voir cette photo de la rue principale du paisible village de Fortierville, au début du 20e siècle.

La première école du village de Fortierville, où se rendaient les enfants du village et des environs. À cette époque, l'éducation n'était

pas obligatoire, et il n'était pas rare que les enfants ne fréquentent l'école que de temps à autre.

L'ancien magasin général de Fortierville. Le juge de paix Oréus Mailhot en était le propriétaire.

– Je n'y manquerai pas, répondit Lemay. Monsieur le coroner m'a déjà touché un mot là-dessus. Il m'a aussi demandé de m'occuper des animaux pour quelques jours.

– Merci beaucoup, monsieur Lemay.

– Y a pas d'quoi. Ma femme et moi, on fait ça pour les pauvres enfants. Tout le monde est bouleversé, mais les petits le sont encore plus, vous savez.

***

C'est le lundi suivant, dans l'après-midi du 16 février que les accusés plaidèrent non coupables à des accusations d'homicide devant le juge Philippe-Auguste Choquette de la cour du Québec. Il fut alors décidé que deux enquêtes préliminaires seraient tenues à huis clos. Celle de Télesphore Gagnon aurait lieu les 24 et 25 février et celle de Marie-Anne Houde, les 4 et 11 mars.

Le juge Choquette décida de ne pas remettre les accusés en liberté. Ils furent détenus en prison jusqu'à la tenue des enquêtes préliminaires.

CHAPITRE DEUXIEME
L'ENQUÊTE PRÉLIMINAIRE

LE MATIN DU 24 FÉVRIER 1920, le temps était gris
et une neige fine tombait sur la ville de Québec. Comme durant toutes les journées de neige, les bruits de la
ville étaient feutrés, presque irréels. À l'intérieur du bâtiment de la cour du Québec, de nombreux journalistes
se pressaient devant la salle des audiences. C'était le
début de l'enquête préliminaire de Télesphore Gagnon
et de Marie-Anne Houde.

Le huis clos avait été déclaré par le juge Choquette depuis plus d'une semaine, mais nombreux sont
ceux qui crurent tout de même pouvoir assister aux audiences. Deux agents de la paix étaient postés devant
les portes closes. Un homme vêtu d'une toge d'avocat
se faufila pour franchir la horde des journalistes.

— Messieurs, lança-t-il. Comme le juge Choquette l'a ordonné, personne d'autres que les témoins, les accusés et les avocats ne pourront assister aux enquêtes préliminaires. Je vous rappelle aussi que, si certains d'entre vous obtenez des informations de façon indirecte sur ce qui se passera derrière ces portes, vous devrez respecter l'ordre de la cour de ne rien publier, sous peine d'outrage au tribunal.

Quelques protestations ont été lancées çà et là, mais tout le monde connaissait bien les règles.

Celui qui venait de s'adresser aux journalistes se nommait Arthur Fitzpatrick. Il agissait comme substitut du procureur général dans la cause d'Aurore Gagnon. Cheveux noirs lissés, lèvres minces et nez fin, maître Fitzpatrick avait tout d'un homme de carrière ambitieux, mais intègre. Trente-six ans, fils de Charles Fitzpatrick, ancien ministre de la Justice, juge en chef de la cour suprême du Canada et ex-lieutenant-gouverneur du Québec, Arthur Fitzpatrick ne manquait pas d'exemples de réussite dans sa famille immédiate, son beau-père, René-Édouard Caron, étant lui aussi un ex-ministre, ex-juge de la cour supérieure et deuxième lieutenant-gouverneur du Québec.

Arthur Fitzpatrick avait donc tout l'aplomb nécessaire pour conduire l'affaire Gagnon, malgré l'énorme battage médiatique qui ne faisait que s'amplifier de jour en jour, à mesure que les détails de l'enquête du coroner étaient connus. Le mystère du huis clos tout au long de l'enquête préliminaire ne fit qu'accroître les spéculations les plus folles.

Après son adresse aux journalistes, maître Fitzpatrick entra prestement dans la salle d'audience. Les gardiens de sécurité refermèrent aussitôt les portes.

Du côté des accusés, maître Joseph Napoléon Francoeur assumait la défense. Cet homme, âgé de 39 ans lors du procès, était un fils de cultivateur de Cap St-Ignace. Issu d'une famille modeste, admis au barreau du Québec en 1905, député libéral pendant 32 ans, il a été, dans les années 1930, ministre de plusieurs ministères du cabinet de Louis-Alexandre Taschereau. De 1940 à 1945, il sera juge à la Cour du banc du roi. Maître Francoeur était réputé pour tenir des interrogatoires serrés et mettre de la pression sur les témoins de la poursuite.

Finalement, c'est le 18 mars 1920 que le jury décida que les accusations contre Télesphore Gagnon et Marie-Anne Houde étaient fondées. Par contre, l'accusation d'homicide involontaire se transforma en une accusation plus grave, celle de meurtre au premier degré. Les deux accusés furent assignés à des procès séparés.

Voici un résumé des dépositions qui furent parmi les plus significatives pour la suite des événements.

Déposition d'Oréus Mailhot, marchand et juge de paix de Ste-Philomène de Fortierville.

En juillet 1919, monsieur Télesphore Gagnon ainsi que madame Gagnon se sont rendus chez moi pour faire paraître devant moi leur petite fille Aurore Gagnon, puisque j'étais juge de paix.

Le père et la mère m'ont déclaré, avant que la petite ne comparut, qu'ils la battaient beaucoup, me donnant pour raison qu'elle était d'un caractère des plus vicieux. Ensuite, le père et la mère déclarèrent que les blessures qu'elle avait aux pieds et sur le côté avaient été causées par des petits garçons.

Alors, j'ai dit à la petite fille, tout en me retirant séparément du père et de la mère: «Viens me raconter.» La petite fille obéit et, alors que l'on se retirait dans une autre pièce, voilà que le père et la mère lui dirent d'un ton prononcé fortement: «Écoute Aurore, fait attention comment tu vas parler.» Ces paroles étaient loin de me plaire. Toujours que j'ai continué avec la petite fille qui avait peine à marcher. Une fois dans l'autre pièce, je lui ai dit doucement: «Écoute-moi. Tu vas me dire la vérité.» L'enfant était nerveuse. Elle me dit de façon répétitive et machinale: «Ce sont les petits Gagnon et le petit Bédard qui m'ont jeté une grosse roche sur le pied et d'autres sur la jambe. Ensuite, ils ont pris un morceau de bois et m'ont percé le côté.» J'ai voulu lui poser d'autres questions, mais la petite fille continuait à répéter la même histoire.

Je l'ai ramenée à ses parents en leur disant que tout était correct. Je me doutais bien que cette enfant devait être maltraitée par ses parents.

Longtemps après, le 9 février, Adjutor Gagnon se présenta chez moi en me disant que la petite fille de Télesphore Gagnon, Aurore, était maltraitée. Il avait vu la petite, aux alentours du 18 janvier et elle portait des blessures à la tête. La mère lui aurait répondu que c'était parce que la petite avait marché pieds nus dans la neige le matin même.

Je devais descendre à Québec par affaires et, par la même occasion, je me suis renseigné sur la façon de m'y prendre pour arriver à des preuves certaines.

Le 11 février, après ce voyage, je suis allé voir monsieur le curé Massé pour lui parler de l'affaire. Il fut bien surpris de tout cela. C'est le lendemain, le 12 février que le curé me téléphona: «Vite, dit-il, la petite se meurt.» Il me demanda si je voulais le conduire. Ma voiture était prête et il me fallut à peine 15 minutes pour nous rendre chez Télesphore Gagnon. En voyant la petite fille, je fus stupéfait. Sur sa tête et sur tous ses membres, il y avait des blessures. Monsieur le curé me dit qu'il allait l'administrer. Il demanda à la mère de retourner l'enfant. Elle répondit qu'elle en était incapable. Je le fis donc à sa place. J'ai tourné l'enfant et j'ai enlevé les couvertures qui la recouvraient. C'était épouvantable. Des blessures à tous les deux ou trois pouces sur les membres.

Quand le curé eut fini avec les sacrements, j'ai demandé à madame Gagnon où était son mari. Elle a dit qu'il était au bois. «Savez-vous que la petite va mourir dans quelques instants? lui ais-je demandé. Voulez-vous que quelqu'un aille le chercher? Tout probable qu'il aimerait la voir.» Elle répondit: «Envoyez-le chercher.»

Mon idée était aussi d'aller chercher d'autres gens pour qu'ils puissent constater eux aussi l'état de la petite. Je suis donc sorti pour aller chercher trois hommes chez le voisin. Ces hommes étaient Adjutor Gagnon, Alphonse Chandonnet et Arcade Lemay.

De retour avec les trois hommes, j'ai demandé à madame Gagnon depuis combien de temps la petite avait de telles blessures aux mains. Elle me répondit que ce n'était que depuis le matin et que le petit frère d'Aurore était mort lui aussi de la même maladie. Ensuite, monsieur Chandonnet est parti chercher Télesphore Gagnon au bois.

Vers 7 heures et quart, Télesphore Gagnon est venu faire des achats à mon magasin. Je lui ai demandé si sa fille Aurore était morte. Il me répondit que oui. Qu'elle était malade depuis 15 jours et que le matin même elle ne semblait pas plus mal.

Déposition de Marguerite Leboeuf, 15 ans, nièce de Télesphore Gagnon.

Au mois de septembre 1919, je suis allée passer huit jours chez monsieur Télesphore Gagnon, mon oncle. Je suis arrivée le dimanche au soir. Je ne me rappelle pas de la date. Le lendemain, dans l'après-midi, j'ai vu madame Gagnon battre Aurore avec un morceau de bois. Elle l'a battue environ cinq minutes. Aurore criait et pleurait, et plus elle criait et pleurait, plus sa mère la battait. Après l'avoir bien battue, elle lui a dit de se lever et de continuer sa vaisselle. Elle m'a paru prendre plus d'intérêt pour ses propres enfants que pour les enfants de son mari.

Une couple de jours après, madame Gagnon a envoyé Aurore faire une course au village en lui disant de se dépêcher et de ne s'arrêter pour parler à personne. Elle n'a pas pris de temps. Je n'aurai pas été capable de faire aussi vite. Une heure plus tard, à propos de rien, j'ai vu madame Gagnon battre de nouveau Aurore avec un bâton qui avait un gros noeud au bout. Elle la frappait fort surtout sur les genoux. La petite pleurait à chaudes larmes et cachait ses genoux avec ses mains. Sa mère prétendait qu'Aurore mettait ses doigts là exprès pour se les faire casser. J'ai voulu prendre son parti, mais la mère m'a dit que j'en aurais autant.

J'ai aussi vu sa chambre à coucher. Son lit n'était pas assez long pour elle et elle n'avait aucune paillasse sous elle. Elle était couchée sur le bois. Madame Gagnon lui faisait souvent peur, surtout lorsque son mari dormait. Naturellement, l'enfant criait. Elle lui disait de ne pas crier, car elle la battrait encore plus.

Une autre fois, elle l'a envoyée vider un vase et elle l'a suivie en la battant sans arrêt.

Un soir monsieur Gagnon m'a dit: «Si tu veux la voir se faire battre, monte avec moi en haut». Il avait un fouet à la main. Je ne suis pas montée, mais je l'ai entendu la battre.

Un autre matin, il m'a dit la même chose, en ajoutant: «Elle va en manger toute une.» Je n'ai pas voulu monter, car j'avais peur et je suis sortie dehors pendant environ quinze minutes. Lorsque je suis rentrée, monsieur Gagnon était parti. Tout ça se passait sans cause valable.

Déposition de Marie-Jeanne Gagnon, fille de Télesphore Gagnon et soeur d'Aurore, âgée de 13 ans.

Vers l'automne 1918, ma mère a commencé à me battre avec un fouet trois ou quatre fois par semaine. Après le jour de l'an, j'ai vu ma mère arracher les cheveux à Aurore avec un fer à friser environ quinze jours avant qu'elle meure. J'ai vu ma mère lui attacher les jambes et les mains après les pattes de la table, prendre un tisonnier rouge et lui brûler les jambes.

Le 29 août 1919, j'ai vu ma mère battre ma petite soeur Aurore sur les pieds avec une planche et tout de suite, les pieds lui ont enflé. Après, elle l'a envoyée aux champs chercher ses petits frères. À son retour, ma mère lui a demandé comment ça se faisait qu'elle avait les pieds dans cet état. Aurore a répondu que c'était ses frères et le petit Bédard qui lui avait lancé des roches. Aurore avait inventé ça parce qu'elle avait peur de se faire battre à nouveau. Le dimanche suivant, le docteur est venu. Il l'a fait mettre au lit.

Vers le 19 ou le 20 janvier 1920, ma mère est allé veiller. À son retour, elle trouva ma petite soeur Aurore assise par terre et appuyée sur la porte du fourneau du poêle. Elle l'a reveillée à coups de pieds et l'a envoyée tomber sur des chaises. Le lendemain matin, ma soeur s'est réveillée avec les deux yeux noirs et enflés. Souvent la nuit, ma mère montait dans sa chambre pour la battre avec ce qu'elle trouvait. Elle lui faisait aussi saigner ses plaies et elle lui disait que, si elle criait, elle la tuerait. Une autre fois, j'ai vu ma mère lui attacher le corps après les pattes de la couchette et lui lier les pieds et les mains. Là, elle la frappait au visage avec une planche et des fois avec un tisonnier. Quand sa tête a commencé à enfler, ma mère a trouvé ça drôle. Elle disait que la tête commençait à lui ramolir.

Plusieurs fois, elle lui interdisait aussi de boire et de manger pendant plusieurs repas de suite. Elle faisait croire à mon père qu'Aurore mangeait en me demandant d'aller lui porter sa portion en haut, mais avant elle me prévenait en cachette de ne rien lui donner.

Quelques jours avant la mort d'Aurore, ma mère est sortie chez un voisin. Je lui ai téléphoné pour qu'elle revienne parce qu'Aurore était pire. Elle m'a répondu que si elle mourait, ce serait un bon débarras.

La journée qu'elle est morte, j'ai vu ma mère battre Aurore avec un manche de fourche sur la tête. C'est là qu'elle est tombée. Elle ne pouvait plus se relever. Ma mère m'a dit «Ôte-moi donc cette peste d'ici».

Déposition de Gérard Gagnon, fils de Télesphore Gagnon, âgé de onze ans.

J'ai vu ma mère battre ma petite soeur avec une hart deux ou trois fois par semaine, ainsi que mon père, une fois avec un manche de hache. J'ai entendu ma soeur pleurer et se plaindre plusieurs fois. Elle était pourtant plus tranquille que moi.

***

Devant tous ces témoignages, en plus des témoignages tout aussi accablants de nombreux autres citoyens de Ste-Philomène de Fortierville, la décision des membres du jury de l'enquête préliminaire ne fut pas très difficile à prendre.

On peut comprendre que le huis clos fut nécessaire afin de pouvoir trouver des jurés impartiaux pour les deux procès à venir.

CHAPITRE TROISIÈME
LE PROCÈS DE MARIE-ANNE HOUDE

LA MATINÉE DU 13 AVRIL 1920 fut entièrement consacrée au choix des 12 membres du jury pour le procès de Marie-Anne Houde, belle-mère d'Aurore Gagnon. La tâche fut assez longue, car les journalistes avaient abondamment écrit sur l'affaire, malgré le huis clos de l'enquête préliminaire.

Les douze jurés furent enfin choisis. Tous des hommes, car à cette époque les femmes ne pouvaient être jurés.

Les jurés prirent place sur les deux banquettes du jury dans la salle d'audience:
- Joseph Giguère, cultivateur de Château-Richer (57e candidat),
- Arthur Paquet, cultivateur de St-Ambroise (25e),

- George McCann, journalier, de Villeroy (34e),
- Aimé Rainville, maçon, de Beauport (29e),
- Cyprien Léveillé, commis au chemin de fer, de Beauport (73e),
- Herménégilde Morel, cultivateur, de Beaupré (15e),
- François Beaumont, cultivateur, de Ste-Catherine de Fossambault (45e),
- Théophile Huot, commis, de Québec (47e),
- Émille Latouche, journalier, de Beauport (33e),
- Adjutor Thibaudeau, cultivateur, de Ste-Christine (63e),
- Joseph Chabot, cultivateur, de Charlesbourg (51e)
- Louis Bédard, cultivateur, de St-Augustin (17e).

Une lourde responsabilité allait incomber à ses citoyens au terme du procès qui durera huit jours.

Tout le Québec attendait impatiemment ces procès, plus particulièrement celui de Marie-Anne Houde. Dès le début des procédures, la salle d'audience était pleine à craquer. La foule était compacte et le corridor menant à la cour était tout aussi plein. Les gens venaient de partout pour suivre le procès de la marâtre, comme la désignaient maintenant tous les journaux. Depuis longtemps dans l'histoire du Québec, un procès n'aura suscité autant d'intérêt et déclenché autant de passion.

L'AVOCAT DE LA DÉFENSE TENTE DE DISCRÉDITER LE RAPPORT DU MÉDECIN LÉGISTE

Le premier témoin à être entendu fut le médecin qui avait pratiqué l'autopsie sur le corps d'Aurore Gagnon, le docteur Albert Marois. Pour ce professionnel, il ne faisait aucun doute que la mort de la fillette était entièrement due aux multiples blessures qui lui avait été infligées.

D'entrée de jeu, maître Francoeur, avocat de Marie-Anne Houde, tenta de semer le doute dans l'esprit des jurés sur la cause véritable de la mort d'Aurore Gagnon en s'attaquant à la façon dont l'autopsie avait été menée.

Très bien préparé à l'aide de plusieurs conseillers médicaux, maître Francoeur insinuait que l'autopsie n'avait pas été complète et que le docteur Marois avait eu tort de ne pas retenir l'hypothèse que les plaies et les marques sur le corps de la jeune victime avaient pu être causées par une maladie rare d'ordre neurologique. Dès le premier témoignage, maître Joseph Napoléon Francoeur faisait une fois de plus la preuve que sa réputation de bagarreur n'était pas surfaite.

— Docteur Marois, vous n'avez donc pas examiné la moelle épinière et le canal rachidien?

– Non, je ne l'ai pas fait.

– Par conséquent, vous n'avez pas pu constater dans quel état étaient les cordons latéraux de la moelle?

– Non. Quand bien même j'aurais constaté l'état de la moelle, ça n'aurait pas eu de conséquences sur les résultats.

– Qu'en savez-vous?

Le ton de voix de l'avocat était presque arrogant. Le docteur Marois était à la barre des témoins depuis une heure environ. La chaleur déjà suffocante accablait encore plus le témoin.

– Persistez-vous à jurer, docteur, qu'il n'y avait pas de lésions internes de la moelle?

– Je ne jure pas qu'il n'y avait pas de lésion, mais j'affirme que je suis absolument satisfait de la cause de la mort. Il est absolument inutile, puis c'est de jouer sur les mots que de vouloir...

– Docteur Marois, coupa Francoeur, actuellement je ne vous demande pas la cause de la mort, ce que je vous demande c'est si vous avez examiné la moelle épinière et le canal rachidien.

– Non, je ne l'ai pas fait, car j'en avais vu assez.

– Donc, vous ne pouvez pas nous renseigner sur les différentes maladies qu'aurait pu avoir cette enfant, qui se rapporteraient à la nutrition ou symptomatiques d'une lésion des cordons latéraux de la moelle.

– Parce que les seules marques extérieures provenaient de coup. Ne pas avoir examiné la moelle épinière ne signifie rien du tout.

– J'ose croire, monsieur Marois, avec votre vaste expérience, que vous savez qu'il y a un très grand nombre de maladies de la moelle épinière qui causent des plaies à la peau et particulièrement aux membres inférieurs?

– Les plaies que j'ai examinées ont été causées par des coups et elles ont résulté en complications qui ont entraîné la mort, répondit sèchement le médecin. Aucune maladie de la moelle épinière n'était en rapport avec les plaies sur la peau de l'enfant. Il était donc tout à fait inutile de faire l'examen de la moelle épinière.

– Je ne vous demande pas de quoi elle est morte, insista l'avocat de façon autoritaire. Je vous demande si votre autopsie était complète et si un examen de la moelle épinière aurait pu nous en apprendre plus sur l'état de santé de l'enfant.

– Monsieur l'avocat, il n'y a pas eu de négligence de ma part. J'avais tout ce qu'il fallait pour démontrer la cause de la mort et quand bien même on insisterait sur le fait que je n'ai pas fait d'examen de la moelle épinière, ça ne peut pas avoir de conséquences parce que les lésions qui ont causé la mort n'ont aucun rapport avec une lésion quelconque ou une maladie quelconque de la moelle épinière. Les blessures n'avaient aucun rapport avec les centres nerveux, ni avec les organes internes.

– Vous êtes décidé à persister?

– Je suis décidé à persister parce j'ai raison, répondit le médecin quelque peu soulagé d'avoir tenu tête aux questions de maître Francoeur.

Mais la partie n'était pas encore terminée pour le docteur Marois, car maître Francoeur le questionna encore une autre heure sur différentes questions de santé, sur l'aspect des blessures de la victime et sur ce qui aurait pu causer ses blessures. À plusieurs occasions, le juge dû intervenir avec autorité pour faire taire le public outré et ému par le sort de la victime et l'état de son corps. Celui-ci était décrit par le docteur Marois comme couvert de blessures: des écorchures jusqu'aux os sur les bras et les jambes, une plaie au-dessus d'un sourcil qui laissait entrevoir un os du crâne, des lacérations, des plaies infectées qui laissaient sortir du pus lorsqu'on appliquait

une légère pression, les tissus de l'estomac irrités probablement par l'ingestion de matière inappropriée.

Jamais le juge Pelletier n'avait vu une salle d'audience aussi bondée et envahie par une multitude de journalistes et de curieux. Juge depuis 1914, Louis-Philippe
Pelletier était un ex-ministre des Postes au gouvernement fédéral. Il avait pratiqué le droit, il avait fait de la
politique active depuis 1888 en plus de présider de
grandes corporations de l'époque comme *Canadian
Electric Light*, *Chaudière Falls Pulp* et *Quebec Railway,
Light, Heat & Power*. Au moment du procès, il venait
d'avoir 63 ans. Le procès de Marie-Anne Houde fut le
dernier qu'il présida, car il mourut 9 mois plus tard.
Depuis le début de cette année 1920, le juge Pelletier
avait déjà eu à prononcer deux sentences de mort dans
d'autres affaires criminelles.

La chaleur dans la salle d'audience, très chargée
émotivement, devenait étouffante. Le juge Pelletier demanda une pause de dix minutes pour faire ventiler la
salle et les esprits de tout le monde par la même occasion.

Sur le banc de l'accusée, Marie-Anne Houde semblait impassible. Personne ne pouvait voir ses traits, car
elle avait remplacé le mince voile noir qui lui recou-
vrait le visage lors de la séance du matin par un autre
voile noir plus épais qui ne laissait rien paraître de son
visage et qui la dérobait aux regards de tous.

Incisif et provocant, maître Francoeur termina le long interrogatoire du docteur Marois sur un ton accusateur, en disant que l'autopsie ne fut pas exécutée de façon complète et qu'une autopsie complète aurait pu révéler d'autres détails importants.

– Cette enfant est morte parce qu'il y avait débilité générale, déclara le docteur Marois presque fâché, parce qu'il y avait de nombreuses blessures, qu'il y a eu épuisement de la malade et, en plus, l'infection aidant, a entraîné la mort sans qu'il n'eut une blessure directe mortelle. Je maintiens ces mêmes conclusions depuis le début et je continuerai à le faire malgré votre opinion contraire monsieur l'avocat. Dans le cas qui nous occupe, l'autopsie était complétée.

LE TÉMOIGNAGE DU CONSTABLE COUTURE

Le deuxième témoin de cette première journée d'audience fut le constable Lauréat Couture. L'avocat de la couronne, maître Fitzpatrick, commença l'interrogatoire.

– Monsieur Couture, après l'arrestation des accusés, voulez-vous me dire si vous avez efffectué des recherches.

– Le matin du quatorze février, je me suis rendu à la maison des accusés. La chambre de la victime était très sale. Dans un coin, il y avait une paillasse avec très peu de paille. De l'autre côté de la pièce, il y avait un petit lit en bois sans matelas, juste avec des planches dessus. J'y ai aussi trouvé une hart près du premier lit et des taches de sang sur le mur et sur le plancher. J'ai rapporté, ce matin-là, la paillasse et le petit drap tachés de sang ainsi que la hart. Plus tard, le 8 mars suivant, j'y suis retourné et la petite Marie-Jeanne, la soeur de la victime m'a remis un tisonnier, un fer à friser et une corde. À une autre occasion, c'est son jeune frère Gérard qui m'a remis le manche de hache, le fouet et le manche de fourche.

– Tous ces objets sont bien ici? demanda maître Fitzpatrick en s'approchant de la table où les pièces à conviction étaient étalées. Vous reconnaissez ces objets monsieur Couture?

– Oui, ce sont bien eux.

Dans l'assistance, une rumeur monta à la vue des pièces à conviction. Comment ne pas être scandalisé lorsque l'on pense que ces objets ont pu servir à maltraiter une enfant de dix ans par son propre père et par sa belle-mère?

Sur la petite table de bois, on pouvait voir un manche de hache, un fouet, une hart blanche, une hart
noire, un manche de fourche, une grosse corde tressée,
un tisonnier, une poignée de poêle, une courroie de cuir
et un fer à friser. Sur une autre petite table, il y avait
quelques effets ayant servi à la victime: une paillasse,
une taie d'oreiller, un piqué et une jaquette, tous tachés
de sang.

L'avocat de la défense commença son contre-interrogatoire en mettant en doute le jugement du constable
sur la malpropreté des lieux.

– Vous avez souvent l'occasion d'aller chez des
cultivateurs? demanda maître Francoeur. Il y en a qui
sont propres et d'autres qui sont malpropres. Ce n'est
pas si extraordinaire de trouver une chambre malpropre, monsieur Couture.

– L'état dans lequel était cette chambre là, oui,
c'était extraordinaire.

Le restant de l'interrogatoire concerna le sang trouvé dans la chambre et sur les vêtements. La défense
voulait mettre en lumière le fait que personne ne savait
à qui appartenait ce sang et depuis quand il y était.

Cette première journée du procès de Marie-Anne
Houde prit fin peu après 18 heures.

DEUXIEME JOURNÉE DU PROCÈS: LA SALLE ÉVACUÉE

Le 14 avril, dès l'ouverture des portes, la foule envahit la salle d'audience. Toutes les places assises que ce soit à la galerie ou dans la salle furent occupées en quelques minutes. De très nombreuses personnes commençaient à s'entasser debout à l'arrière de la salle et refoulaient même dans le corridor.

L'avocat de la défense dénonça la curiosité qui attirait tous ces gens, faisant remarquer que plusieurs amenaient même leur repas avec eux.

Le juge Pelletier ordonna donc l'évacuation de la salle, ne permettant son accès qu'aux avocats, aux journalistes et aux étudiants. L'ordre d'évacuation souleva une clameur de protestation.

– À l'ordre, clama le juge Pelletier en frappant avec son maillet. Ceux qui n'obéiront pas dans le calme et dans l'ordre seront accusés d'outrage au tribunal.

Une fois la salle évacuée et l'ordre revenu, le premier témoin de la journée, le docteur Lafond, prêta serment. Il raconta qu'il avait été appelé au chevet d'Aurore Gagnon le 12 février, vers midi. Arrivé chez les Gagnon, il trouva la jeune fille dans le coma. Son corps était couvert de plaies et plusieurs parties, dont la tête et les genoux, étaient enflées.

Le docteur Lafond raconta aussi que, le dernier jour du mois d'août 1919, il se rendit voir l'état d'Aurore à la demande de l'accusée. Selon elle, la jeune fille avait été battue par des petits garçons des alentours. Au cours des semaines suivantes, le docteur Lafond rendit plusieurs visites aux Gagnon pour constater l'état de la petite blessée.

— Les pansements que je demandais de faire et de changer régulièrement ne l'étaient pas et les plaies ne guérissaient pas, c'est pourquoi j'ai donné l'ordre de faire transporter Aurore Gagnon à l'Hôtel-Dieu de Québec. Normalement, ça n'aurait pas été nécessaire, mais les plaies ne guérissaient pas par manque de soin. Certaines maladies peuvent empêcher la guérison de blessures de ce genre, mais pas chez cette enfant.

Lorsque l'interrogatoire du docteur Lafond prit fin, il était presque midi et le juge Pelletier ajourna le procès pour le dîner.

Au retour, au grand étonnement des avocats et du juge, la salle d'audience était aussi pleine qu'au matin malgré son accès limité aux journalistes et aux étudiants qui devaient prouver leur statut sur présentation d'une carte d'identité. C'est que, pendant l'avant-midi, un trafic intense de cartes d'étudiant et de journaliste s'était tenu tout juste devant l'édifice de la cour. Résultat: une salle bondée de «journalistes» et d'«étudiants». Le juge Pelletier, avant la reprise du procès, déclara qu'il ne voulait en aucune façon avoir à réclamer le silence dans la foule, sinon le huis clos complet serait proclamé. Ayant bien établi son autorité, le juge Pelletier n'eut pas à faire trop de discipline jusqu'à la fin des procédures. Cependant, la salle pleine à craquer devait être aérée plus souvent que de coutume afin de rendre un peu plus supportable l'atmosphère trop dense.

Le premier témoin de l'après-midi fut madame Exilda Auger, femme d'Arcadius Lemay, voisine de la famille Gagnon.

– Au mois d'août dernier, madame Télesphore Gagnon m'a dit qu'elle et son mari battaient la petite Aurore avec un manche de hache. Nous étions chez elle et elle m'en a montré un long. Je lui ai dit que c'était pas une arme pour battre un enfant. Elle m'a répondu que la petite ne pleurait même pas. Je lui ai aussi dit que si elle n'était pas capable de l'élever, qu'elle fasse placer l'enfant au couvent. Elle m'a répondu que ça coûtait trop cher.

– Lors de vos rencontres avec madame Gagnon, demanda maître Fitzpatrick, de quoi parliez-vous?

– On parlait de différentes choses, mais le plus souvent ça revenait sur ses enfants, comment ils étaient difficiles et qu'ils devaient les corriger durement et souvent.

Exilda Lemay poursuivit son témoignage en racontant ce qu'elle avait déjà dit lors de l'enquête du coroner, sa visite chez les Gagnon trois jours avant la mort d'Aurore et la journée même de la mort.

Plusieurs personnes dans l'assistance, ébranlées, durent sortir à cause de la dureté des faits rapportés.

— L'enfant faisait pitié. Elle avait les mains enflées, les doigts croches, des plaques rouges et noires sur la peau, les pieds enflés, les jambes pleines de bobos. Elles avait aussi les genoux et la figure bien enflés et le tour des yeux noircis.

— Est-ce que madame Gagnon vous a dit autre chose en d'autres occasions en rapport avec ses enfants?

— Aux environs du jour de l'an, elle m'a dit que la petite Aurore avait tous les caprices qu'un enfant puisse avoir. Elle m'a aussi dit qu'elle souhaitait que la petite meurt sans que personne s'en aperçoive.

Maître Fitzpatrick avait alors fini son interrogatoire du témoin et l'avocat de la défense se leva pour la contre-interroger.

– Madame Lemay, est-ce que vous haïssez l'accusée?

– Non, je ne la hais pas.

– Pourtant, sur le train lors de votre venu ici, des témoins vous ont entendu souhaiter, je vous cite: «Que cette garce soit pendue». Est-ce bien vos paroles?

– C'est faux, je n'ai jamais dit garce.

– Donc, vous avez souhaité qu'elle soit pendue?

– Non plus, j'ai simplement souhaité qu'elle soit jugée comme elle le mérite. J'ai dit que c'était bien terrible de martyriser une enfant comme ça. Ni plus, ni moins.

– Est-ce que madame Gagnon battait aussi ses autres enfants?

– Un jour elle m'a dit qu'elle battait moins la petite Marie-Jeanne parce qu'elle se sauvait et qu'il fallait courir après. Elle a ajouté: «Aurore, elle, elle ne se sauve pas. On peut la battre sans courir après.»

– Vous n'avez jamais mentionné ça auparavant.

– Je ne peux pas me rappeler de tout toujours.

– C'est pratique, ça, de ne pas se rappeler. Je vais vous rappeler quelque chose de pas très agréable pour vous. Vous êtes déjà venue ici pour témoigner dans une autre cause. L'an passé, vous avez été accusée de vente de boisson sans permis.

– Oui, c'est vrai. Mais on a payé pour. S'il fallait fouiller dans la vie de tout le monde on trouverait toujours quelque chose, même dans la vôtre monsieur l'avocat.

– Madame, je vous conseille de ne pas faire de menace et de répondre aux questions. D'après ce que je constate, ça ne vous ferait pas trop de peine que l'accusée soit pendue?

– Ne répondez pas à cela madame Lemay, intervint le juge Pelletier. Maître Francoeur, tenez-vous en aux faits et vous, madame Lemay, ne faites plus de menaces.

Le contre-interrogatoire de madame Arcadius Lemay se poursuivit sur un ton plus calme, mais maître Francoeur tendait des pièges continuellement pour tenter d'embrouiller le témoin et de la faire se contredire. La stratégie échoua. Madame Lemay avait peu d'instruction, mais son esprit était alerte et sa version des différents événements ne changeait en rien. Ses différentes visites chez les Gagnon, ses discussions avec madame

Gagnon et ses rencontres avec la petite Aurore, tout concordait.

– Vous dites, madame Lemay, que le matin du 9 février, vous vous êtes rendue chez les Gagnon et que madame Gagnon vous a permis de monter voir Aurore à l'étage.

– Non. Comme je vous l'ai dit, le 9 février j'y suis allé en après-midi et je suis montée à l'étage sans demander la permission à personne.

– Et c'est Marie-Jeanne, la soeur aînée d'Aurore qui vous a raconté qu'elle avait vu Aurore faire des saletés dans la cuisine.

– Pourquoi changez-vous tout le temps mes paroles? J'ai dit que c'était madame Gagnon qui racontait qu'Aurore faisait dans son lit et dans les vêtements de son père. C'est ça que j'ai toujours dit.

– Madame Lemay, vous avez rapporté des paroles de l'accusée. Elle vous aurait dit qu'elle souhaitait que la petite Aurore «puisse mourir sans que personne n'en ait connaissance, elle aussi». Que voulait dire l'accusée par «elle aussi»? Ne voulait-elle pas dire qu'elle-même, l'accusée, n'en eût connaissance? En d'autres mots, qu'elle souhaitait qu'Aurore meurt sans que personne incluant elle-même n'en eut connaissance.

– Non, ce n'est pas ça. Je ne crois pas. Madame
Gagnon voulait parler d'un autre enfant. Du petit
Joseph qui est mort étouffé sous une paillasse, il y a deux
ans. Il est mort sans que personne ne le sache alors
qu'elle était domestique chez les Gagnon.

Le témoignage se poursuivit jusqu'au milieu de
l'après-midi, tournant autour de ce que le témoin avait
vu et entendu d'elle-même et non de ce qui lui avait été
rapporté. Fatiguée par cette interrogatoire de plus de
deux heures et demie, madame Lemay céda sa place sur
le banc des témoins à Marguerite Leboeuf, 15 ans, nièce
de Télesphore Gagnon.

Elle raconta ce qu'elle avait déjà dit lors de l'enquête préliminaire, ajoutant cependant plus de détails
sur les objets avec lesquelles Aurore était battue. Ainsi,
c'est avec un éclat de bois de 18 pouces de longueur et
avec un rondin de deux pouces de diamètre et de deux
pieds de longueur qu'elle vit Marie-Anne Gagnon battre Aurore à plusieurs occasions lors de son séjour d'une
semaine chez les Gagnon.

– Une autre fois, j'étais à me friser les cheveux
dans la cuisine. Ma tante a pris le fer à friser. Elle l'a fait
bien chauffer sur une lampe et a saisi les cheveux d'Aurore qui étaient très courts. Trop courts pour être pris
avec un fer à friser. Elle a tordu le fer en arrachant des
cheveux et lorsqu'elle l'a retiré, les cheveux étaient

grillés et Aurore pleurait. La petite Aurore paraissait toujours triste. Elle ne parlait jamais, à part lorsqu'on lui posait une question. Elle n'était jamais dérangeante.

Pendant son témoignage, la jeune femme se mit à pleurer à plusieurs occasions, surtout lorsqu'elle relatait les mauvais traitements infligés à la petite Aurore. Visiblement ébranlée, elle se retira pour laisser place au témoin suivant, madame Octave Hamel, demi-soeur de Télesphore Gagnon.

– Le 16 janvier dernier, je suis allé chez les Gagnon et j'y ai vu Aurore dans un bien mauvais état. J'ai dit à sa belle-mère qu'elle devrait appeler le docteur pour faire soigner la petite. Elle m'a répondu qu'elle n'avait pas 50 $ à dépenser pour cette enfant-là. «Qu'elle crève, qu'elle a dit. C'est une enfant têtue, voleuse et impure».

En contre-interrogatoire, maître Francoeur réussit à faire admettre à madame Hamel qu'elle avait été froissé que son frère se marie avec Marie-Anne Houde, parce qu'elle n'aimait pas l'accusée et qu'elle souhaitait qu'elle soit pendue.

– Je n'ai jamais souhaité qu'elle soit pendue. J'ai seulement dit qu'elle devait être punie pour ce qu'elle a fait. Avant son mariage, j'avais averti mon frère que Marie-Anne Houde m'avait elle-même dit qu'elle n'aimait pas les enfants. J'étais certaine que ça ne ferait pas un bon mariage.

Après cet autre témoignage chargé d'émotion, il était presque 18 heures et le juge Pelletier, visiblement fatigué ajourna le procès jusqu'au lendemain matin, 15 avril.

Tout au long de cette deuxième journée de procès, malgré la chaleur et la tension émotive qui régnaient dans la salle comble, l'accusée semblait impassible, toujours dissimulée derrière l'épais voile noire qui descendait de son chapeau jusqu'au menton.

TROISIEME JOURNÉE DU PROCES
LE TÉMOIGNAGE TROUBLANT
DE LA SOEUR D'AURORE

Le matin du 15, la cour apprit que le jeune Gérard Gagnon, fils de l'accusée ne pourrait venir témoigner, car il avait dû être hospitalisé. Il souffrait d'une grippe et d'une affection au coeur. Il fut décidé que, plus tard, la cour se déplacerait pour entendre le jeune garçon.

Le docteur Marois revint à la barre des témoins à la demande de la défense qui voulait savoir le nombre exact de blessures sur le corps de la victime.

— Nous avons dénombré 54 blessures.

Le prochain témoignage fut déterminant dans le changement de stratégie de la défense pour la suite du procès. Jusque là, maître Francoeur et ses conseillers tentaient de discréditer les témoins et de démontrer que la mort d'Aurore Gagnon n'avait pas été causée par l'accusée, mais plutôt qu'elle résultait des suites de maladies non diagnostiquées.

Le témoignage de la jeune Marie-Jeanne Gagnon, 12 ans, soeur aînée d'Aurore, allait porter un coup fatal à cette stratégie.

L'avocat de la poursuite, maître Fitzpatrick commença l'interrogatoire. Après quelques précisions sur son âge, l'âge de sa soeur et sur les autres membres de la famille, il lui demanda si elle avait eu connaissance qu'il se passait quelque chose de particulier avec Aurore.

– Oui, ma mère la battait et la brûlait avec un tisonnier. L'été passé, elle l'a battue aux pieds avec une planche longue de deux pieds.

– Après, que s'est-il passé?

– Les pieds lui ont enflé et, le lendemain, elle a envoyé Aurore aux champs pour aller chercher les garçons.

– Quels garçons?

– Ces deux garçons à elle, Georges et Gérard. Quand Aurore est revenue à la maison, elle a dit que c'était les garçons qui lui avaient fait ça. Mais, moi, j'ai vu qu'elle était dans le même état que lorsqu'elle est partie pour les champs. Je pense que c'est parce qu'elle avait peur de se faire battre encore.

– Après cette histoire, est-ce que votre petite soeur Aurore est restée à la maison?

– Non, elle est partie à l'hôpital pour un bout de temps.

– Lorsqu'elle est revenue à la maison, qu'est-ce qu'il s'est alors passé?

– Pendant un mois, elle n'a rien fait. Après, elle a commencé à la battre. Elle ne lui donnait pas de lit pour dormir. Elle la battait à tous les jours.

– Pourquoi la battait-elle?

– Pour n'importe quoi. Elle lui donnait des choses à faire et elle disait toujours que c'était mal fait ou qu'elle prenait trop de temps. Alors là, elle la battait tout le temps.

– Avec quoi la battait-elle?

– Elle la battait avec des éclats de bois, des rondins, avec une hart, avec un fouet et avec le tisonnier.

– Avec le tisonnier, est-ce qu'elle la battait souvent?

– Oui souvent. Elle la frappait sur la tête. Une fois, elle a eu la tête enflée après.

– Qu'est-ce qu'elle faisait votre petite soeur quand elle était battue ainsi?

– Elle criait. Elle criait et elle pleurait. Ma mère lui disait que plus elle crierait, plus elle la battrait.

– Vous avez dit tout à l'heure que votre mère la brûlait. Pourquoi la brûlait-elle?

– Parce qu'elle faisait ses besoins par terre. Mais c'est parce que ma mère ne voulait pas lui donner de pot pour qu'elle fasse ses besoins. Elle faisait exprès pour qu'elle soit obligée de les faire par terre.

– Vous dites que votre mère ne voulait pas donner de pot à votre petite soeur Aurore, intervint le juge Pelletier. Après, elle faisait ses besoins sur le plancher, et votre mère la punissait en la brûlant?

– Oui.

– Pendant combien de temps elle n'a pas voulu lui donner de pot?

– Pendant un mois.

– Pouvait-elle aller dehors pour faire ses besoins? reprit maître Fitzpatrick.

– Non, elle lui interdisait de sortir.

– Dites-moi comment votre mère s'y prenait pour brûler votre soeur avec le tisonnier.

– Elle l'attachait par les pieds après la table de la cuisine et elle la brûlait partout. Aurore, elle, criait. Une fois, elle lui a bandé la bouche avec une strappe de cuir parce qu'elle criait trop fort.

Dans toute la salle d'audience, des rumeurs s'élevaient. Les gens n'en revenaient pas de ce qu'ils entendaient de la bouche de cette enfant. Un mélange d'indignation et de compassion pour la petite Aurore se manifestait par des chuchotements entre voisins, car personne ne tenait à ce que la salle soit évacuée.

– Marie-Jeanne, regardez sur la table là-bas. Il y a des objets sur cette table, est-ce que vous les reconnaissez?

– Je reconnais le fouet, la strappe de cuir et le tisonnier. Il y a aussi la poignée de poêle que ma mère faisait chauffer pour brûler Aurore aux mains. Le tisonnier, elle le faisait chauffer dans la porte du poêle et il
devenait rouge. Elle la brûlait partout et elle arrêtait
quand ça sentait trop le brûler dans la maison.

– Est-ce que vous avez vu votre petite soeur la
journée de sa mort? Est-ce que les blessures qu'elle avait
ce jour-là étaient les mêmes blessures?

– Aurore avait des bobos partout sur les jambes,
sur les bras. C'est ma mère qui l'avait brûlée, puis battue.
Le matin de sa mort, après que papa soit parti travailler,
maman est montée et elle a dit: «Elle restera pas couchée toute la journée, cette vache-là.» Elle a aussi dit
qu'elle était mieux de se lever d'elle-même sinon elle
l'enverrait en bas de l'escalier. Après, Aurore est des-
cendue en bas et elle est tombée sur la porte du poêle.
Elle était trop faible. Maman a pris le manche de fourche et lui a donné trois gros coups. Aurore a rachevé
d'écraser. Là, je l'ai aidée à se relever et elle est retournée dans son lit.

– Est-ce que votre belle-mère vous a dit quelque
chose à propos de ce que vous alliez dire ici, à la cour?

– Elle m'a dit de ne pas parler, de ne rien dire.

Maître Fitzpatrick se dirigea vers son assistant, assis à la table de la couronne, et prit une lettre. Il revint vers Marie-Jeanne avec une feuille de papier en mains.

— Est-ce que vous reconnaissez cette lettre qui est adressée à M. Gédéon Gagnon? Est-ce que vous l'avez eue et à qui l'avez-vous remise, Marie-Jeanne?

— Je l'ai remise à monsieur Couture.

— Est-ce que c'est une lettre venant de votre mère? voulut préciser le juge Pelletier.

— Oui.

À ce moment-là, il était 11 heures trente et le juge Pelletier interrompit le déroulement du procès pour quelques minutes. À sa reprise, le juge Pelletier s'adressa à Marie-Jeanne.

— Écoutez-moi bien, ma petite fille. Où as-tu pris cette lettre?

— C'est pépère qui l'a reçue. Eux autres, ils ne savent pas lire. Moi, je l'ai lue.

— Petite, es-tu capable de me faire le serment que c'est madame Gagnon, ta belle-mère, qui a écrit cette lettre là?

– Je reconnais son écriture. Je sais que c'est elle qui l'a écrite.

– Monsieur le juge, intervint maître Francoeur, visiblement déstabilisé par l'apparition de cette lettre dont il ne connaissait pas l'existence, je dois demander que cette lettre ne soit pas admise comme preuve.

– Sur l'enveloppe qui accompagne cette lettre, continua le juge sans répondre à l'avocat de la défense, il y a le nom de Gédéon Gagnon. Est-ce le nom de ton grand-père?

La jeune fille répondit par l'affirmative et le juge déclara que la lettre était admissible en preuve. Il la fit lire au jury. «Bien chère mère et bien cher père, je vous écrit quelques mots pour vous dire que mon mari est bien et que, moi, il y a cinq jours que je suis au lit avec la grippe. Mais là, je vais me lever demain. C'est pour ça que l'enquête est retardée. C'est bien long et bien ennuyant. Nous avons bien hâte de nous en aller. Ça peut aller au commencement de la semaine du 29. Comme vous voyez, c'est bien long. Oubliez-nous pas dans vos prières, ainsi que les enfants. Ils vont aller chercher Gérard pour l'enquête. Vous lui direz qu'il ne parle pas, même si le détective le questionne. Il n'a pas le droit. De même pour Marie-Jeanne à la cour. Qu'ils disent rien d'autre que oui ou non. Lui (Gérard) est sourd et ils pourraient lui faire dire tout ce qu'ils voudront. Si la petite (le bébé dont Marie-Anne Houde a accouché l'année d'avant) pleure et si les autres ne sont pas malades, mémère, vous prendrez de la flanelette dans ma chambre et faites faire 2 chemises à chacun des petits. Si vous avez besoin de quelque chose pour manger, allez chez madame Baril. La petite, si elle pleure, donnez-lui du sirop. Ne donnez de nouvelles à personne. Répondez-moi tout de suite et dites-nous comment cela se passe. Mémère doit être fatiguée, mais le bon dieu la récompensera. Des gros becs à tous. Et Marie-Jeanne, elle est bien?»

Les parents de Télesphore Gagnon étaient venus s'installer à la ferme. Il fallait que quelqu'un soit présent pour s'occuper des enfants durant les procédures et pour voir au bon entretien des animaux de la ferme. Par cette lettre, Marie-Anne Houde voulait probablement manipuler ces beaux-parents, bien paraître à leurs yeux et influencer leur opinion.

Après la lecture de la lettre, le procureur de la couronne continua son interrogatoire pour en savoir plus sur le fait que la belle-mère ne donnait pas le pot à Aurore.

— Vous avez dit que votre mère privait votre soeur Aurore du pot pour faire ses besoins. Quand elle les faisait, ou les faisait-elle?

— À terre, dans la maison.

– Est-ce que ça lui arrivait de faire dans les habits de ton père?

– Ça non, c'est maman qui mettait les dégâts d'Aurore dans les habits de papa pour faire croire que c'était Aurore.

– Ta maman mettait des ordures dans les vêtements de ton père pour lui faire croire que c'était ta petite soeur qui faisait ça, répéta le juge médusé.

– Oui. Je l'ai vue faire plusieurs fois.

– Lorsque ta petite soeur descendait en bas, demanda maître Fitzpatrick, qu'est-ce qu'elle faisait? Comment se comportait-elle?

– Elle était tout le temps contre le poêle. Elle disait tout le temps qu'elle était gelée.

– Est-ce que ça arrivait qu'elle s'endormait là, près du poêle? Qu'est-ce que ta mère faisait quand elle la voyait près du poêle?

– Elle passait près d'elle et, quand elle avait quelque chose dans les mains, elle lui en envoyait un coup sur la tête.

Depuis au moins une heure, aucun bruit ne montait de la foule. Chacun écoutait le récit de l'enfant en retenant son souffle. Mais, à la dernière réponse de l'enfant, quelques personnes ne purent retenir leur indignation devant le récit de tant de méchanceté.

– Est-ce que tu as couché tout l'hiver en haut dans la même chambre que ta petite soeur? Est-ce que ta mère montait la nuit?

– Oui elle montait, mais pas toutes les nuits. Elle venait battre Aurore pour qu'elle se tienne loin du tuyau du poêle qui passait dans la chambre.

– Comment la battait-elle?

– Elle la battait fort pour que le sang coule. Des fois, elle attachait ses pieds et ses mains ensembles et, après, elle l'attachait au lit pour ne plus qu'elle bouge. Et des fois elle continuait de la battre.

Puis, ce fut au tour de l'avocat de la défense de passer en contre-interrogatoire. Maître Francoeur avait été visiblement en grande réflexion durant une bonne partie du témoignage de la jeune Marie-Jeanne. La tâche était de plus en plus difficile devant tous ces témoignages accablants. La marge de manoeuvre de la défense était de plus en plus mince.

– Dites à la cour, Marie-Jeanne, si vous avez été questionnée lors de l'enquête du coroner qui s'est tenue dans votre village après la mort de votre soeur Aurore ? Avez-vous été questionnée par monsieur le coroner Jolicoeur ?

– Je ne sais pas qui c'était, mais j'ai répondu aux questions d'un monsieur à l'église.

– Qui était présent à part vous et monsieur Jolicoeur ?

– Il y avait monsieur Couture et les jurés. Il y avait aussi peut-être monsieur Lemay.

– Sous serment, vous avez déclaré que vous n'aviez pas eu connaissance que votre mère avait maltraité votre petite soeur Aurore. Pourquoi jurez vous le contraire aujourd'hui et aussi lors de l'enquête préliminaire ? Qu'est-ce qui est la bonne version ? Quand mentez-vous et quand dites-vous la vérité, Marie-Jeanne.

Maître Francoeur savait très bien ce qu'il faisait. S'il voulait avoir encore des chances de gagner ce procès, il devait aller à fond de train pour discréditer la soeur de la victime. Il s'apprêtait à mettre beaucoup de pression sur les épaules de la petite Marie-Jeanne.

– N'est-il pas vrai que vous aussi vous battiez Aurore ? Rafraîchissez vos souvenirs et n'oubliez pas que vous êtes sous serment. Dites la vérité cette fois.

— C'est pas vrai. Je n'ai jamais battu ma soeur.

— Vous n'avez jamais battu Aurore ? Vous ne vous êtes jamais chicanée avec elle ? Est-il vrai que vous vous chicaniez tout le temps et que vous vous battiez ?

— Non, c'est pas vrai, répondit Marie-Jeanne en fondant en larmes. On se chicanait, mais pas tout le temps, et on ne se battait pas.

— Et vous n'étiez pas jalouse l'une de l'autre ?

— C'est elle qui disait ça, clame la jeune fille en pointant sa belle-mère.

— Vous dites que c'est elle qui disait ça, intervint le juge d'une voix calme et paternelle pour calmer l'enfant. Qui, elle ?

— Maman, répondit Marie-Jeanne en sanglotant.

— Maître Francoeur, je vous rappelle que vous avez une enfant de douze ans devant vous, fit le juge d'une voix calme, mais ferme.

Le contre-interrogatoire se poursuivit sur des questions de détails. Maître Francoeur cherchait manifestement à brouiller l'enfant dans ses souvenirs pour rendre son témoignage confus et ainsi parvenir à la discréditer au yeux du jury. Il fallut à plusieurs reprises prendre quelques minutes de pause, car Marie-Jeanne pleurait trop pour répondre aux questions.

– Pourquoi pleurez-vous ainsi? Tout à l'heure, vous avez répondu aux questions de l'autre avocat sans pleurer.

– C'est parce que je suis fatiguée, sanglota l'enfant.

– Je veux savoir si vous et votre soeur couchiez dans le même lit et si vous avez fait des choses impures ensembles, et est-ce que c'est pour cela que votre mère montait pour vous séparer?

– C'est pas vrai. C'est des menteries qu'elle disait. Que ma mère disait.

– N'est-il pas vrai que vous et Aurore vous vous étiez mises toutes nues pendant que vos parents étaient à la messe et qu'ils vous ont surpris au retour?

– C'est pas vrai ça non plus.

– N'est-ce pas vrai?

– Maître Francoeur, le témoin vous a déjà répondu clairement, coupa le juge Pelletier qui commencait à être irrité par la tournure que prenait le contre-interrogatoire.

– Nous ajournons pour une période d'une heure trente minutes, ajouta le juge.

À la reprise du procès, le juge Pelletier s'adressa sur un ton doux et rassurant à Maire-Jeanne qui reprenait place sur le banc des témoins.

– Je vais vous parler comme un père parle à son enfant. Vous n'avez pas besoin d'avoir peur. Personne ici ne vous fera de mal. En tant que juge, je vous protège. Maître Francoeur a un travail à faire et il doit vous questionner même si les questions sont parfois difficiles. Prenez votre temps et vous n'avez pas besoin de pleurer, je ne permettrai à personne de vous faire du mal. Ayez confiance et dites nous toute la vérité.

– Vous savez Marie-Jeanne, je suis obligé de vous poser toutes ces questions, mais vous n'avez qu'à répondre la vérité, ajouta maître Francoeur. Je vais vous reposer la même question que cette avant-midi. Je vous demande de répondre la vérité. N'avez-vous jamais couché avec votre soeur Aurore depuis que vous êtes chez votre père, depuis votre retour de l'hospice après la mort de votre mère, il y a 2 ans?

– Je ne me rappelle pas.

– Vous avez dit que votre mère montait la nuit, dans la chambre à coucher, pour battre Aurore. Est-ce qu'elle montait tous les soirs?

– Oui.

– Est-ce que vous étiez éveillée? Est-ce que votre frère Gérard était là? Est-ce qu'il était éveillé?

– Je me réveillais quand Aurore commençait à crier. Gérard aussi, je pense. Il ne couchait pas dans la même pièce. Il couchait en haut, mais pas dans la même pièce.

– Est-il vrai qu'une fois votre mère est montée et a battu Aurore parce qu'elle était couchée avec vos frères?

– Oui, une fois c'est arrivé, sanglota Marie-Jeanne. Mais c'est parce qu'elle n'avait pas de couverture, qu'elle couchait par terre et qu'elle avait froid.

– Vous nous dites que votre soeur Aurore n'avait pas de couverture, insista le juge. Ça se passait à quel mois ce que vous nous dites là?

– C'était 2 ou 3 mois avant sa mort.

– Donc, au mois de novembre ou décembre, précisa le juge en penchant légèrement la tête pour masquer ses états d'âme.

– Et vous, Marie-Jeanne, questionna maître Francoeur, n'avez-vous jamais brûlé votre soeur avec le tisonnier?

– Non, jamais, c'est elle qui faisait ça, clama la petite Marie-Jeanne en regardant durement dans la direction de l'accusée. Elle disait: «Regarde si elle est folle, elle ne s'est même pas prendre un tisonnier dans ses mains.»

– Vous dites que votre mère tendait le tisonnier à Aurore et qu'elle le prenait comme ça, avec ses mains?

– Elle poussait Aurore dans un coin et elle approchait le tisonnier rougi tout près d'Aurore. Elle était bien obligée de mettre ses mains pour ne pas être brûlée au visage.

Marie-Jeanne sanglotait presque constamment. À plusieurs occasions, maître Francoeur dû interrompre son interrogatoire pour laisser le temps à la jeune fille de reprendre son souffle. Il sentait qu'il devait faire preuve de retenu, car une trop grande pression sur la petite pouvait lui alliéner la sympathie déjà bien mince des jurés.

– Lorsque vous dites que votre mère brûlait Aurore avec le tisonnier, que faisiez-vous? Vous regardiez et vous ne disiez rien?

– Elle nous disait de regarder par la fenêtre et de l'avertir si quelqu'un venait. On ne pouvait pas faire autrement, car elle nous menaçait de nous faire la même chose qu'à Aurore si on racontait ça à notre père ou à d'autres personnes.

Marie-Jeanne s'effondra en larmes une fois de plus. Cette fois, on la fit sortir de la salle d'audience. La jeune fille n'en pouvait tout simplement plus.

La poursuite appela à la barre son témoin suivant, Ivonne St-Onge, institutrice depuis un peu plus d'un an à Ste-Philomène de Fortierville, à l'école élémentaire du 7e rang.

– Mademoiselle St-Onge, vous avez fait une déposition lors de l'enquête sur la mort d'Aurore Gagnon. Je vous cite: «J'ai bien connu la petite Aurore dans ma classe. La petite était intelligente, mais paraissait timide. Elle avait bon caractère, de bonnes habitudes et elle était sage. J'ai reçu des lettres écrites par sa mère adoptive qui me demandait de la battre. Elle disait qu'à la maison, ils se servaient d'un fouet à cheval. La lettre était signée par monsieur et madame Gagnon. La petite fille ne méritait pas cela du tout. Elle était sage. J'ai remarqué qu'elle avait souvent des traces de coups sur les mains et la figure. Je lui ai demandé si c'était chez elle qu'on la frappait. Elle m'a tout de suite répondu qu'elle était tombée». Mademoiselle St-Onge, que pensez-vous de tout cela?

– Monsieur le juge, je m'oppose à cette question, objecta maître Francoeur. Les suppositions du témoin ne sont pas des faits.

– Objection maintenue, confirma le juge Pelletier.

– Avez-vous déjà remarqué quelque chose d'anormal dans le comportement d'Aurore?

– Jamais. Comme je l'ai déjà dit, elle était sage et intelligente.

L'avocat de la couronne termina son interrogatoire et ce fut au tour de maître Francoeur d'interroger l'institutrice.

– Mademoiselle St-Onge, pendant combien de mois la jeune Aurore s'est-elle présentée à l'école?

– Pendant un peu plus d'un mois.

– Ce n'est pas très long un mois pour avoir une idée précise du comportement d'un enfant.

– Je crois que les enfants peuvent cacher des choses pendant un certain temps, mais le comportement général, ça c'est difficile à dissimuler.

Ce fut tout pour l'institutrice. On appela à la barre le jeune frère de Marie-Jeanne et d'Aurore, Georges, âgé de 9 ans.

– Georges, commença maître Fitzpatrick, tu sais ce que ça veut dire être sous serment? Ça veut dire que tu dois dire la vérité sur toutes les questions que nous te poserons ici aujourd'hui. Est-ce que tu te rappelles quand Aurore est tombée très malade?

– Oui. C'est quand maman n'arrêtait pas de la fesser, de la battre et de la brûler.

– Est-ce que tu étais dans la maison de tes parents, la journée où Aurore est morte?

– J'ai vu Aurore quand elle a commencé à déparler. J'étais en haut et j'ai vu maman donner un coup de pied dans le ventre d'Aurore quand elle était couchée sur sa paillasse pour qu'elle descende en bas. J'ai vu maman traîner Aurore par terre pour la faire descendre.

Le petit Georges avait les yeux pleins d'eau et retenait des sanglots.

— Est-ce que tu peux me dire ce qu'Aurore mangeait et buvait en temps normal ?

— Elle ne mangeait presque rien et ma mère la guettait pour qu'elle ne boive pas. Des fois, elle lui faisait boire l'eau de la lessive.

— Merci mon petit, conclut maître Fitzpatrick.

Maître Francoeur interrogea très sommairement le petit garçon. L'atmosphère était à couper au couteau. Les jurés, le juge, l'assistance, tout le monde avait l'air abattu, scandalisé et médusé à la fois à force d'entendre ces histoires incroyables de méchanceté.

LA COUR SE DÉPLACE À L'HOPITAL

Le lendemain, vendredi 16 avril, la défense et la poursuite consentirent à ce que la cour se déplace à l'hôpital du docteur Jean-Octave Dussault, sur la rue Saint-Jean, pour entendre le témoignage de Gérard Gagnon, fils naturel de l'accusée, qui ne pouvait se déplacer pour cause de maladie. Les deux avocats, l'accusée, le juge Pelletier et les douze jurés entendirent le jeune Gérard. De nombreux curieux se déplacèrent jusqu'à l'hôpital, mais ne purent y entrer.

Le jeune garçon déclara qu'Aurore couchait dans un coin d'une chambre du haut de la maison sur une mince paillasse. À l'occasion, sa mère lui enlevait sa paillasse pendant plusieurs semaines et elle couchait directement sur le sol. L'hiver, il arrivait que sa mère oblige Aurore à sortir dehors pieds nus.

Le matin de la journée où Aurore est morte, il a vu sa mère laver Aurore avec une brosse à plancher.

– Avez-vous déjà vu votre mère brûler Aurore? demanda maître Fitzpatrick.

– Oui, deux ou trois fois, elle attachait Aurore à la table par les pieds et par les mains et elle la brûlait avec le tisonnier, surtout sur les jambes. Une fois aussi, elle a mis du savon sur une tranche de pain et elle a forcé Aurore à la manger, sinon elle la menaçait de la battre encore plus fort.

Gérard a aussi dit que sa mère avait obligé Marie-Jeanne à brûler Aurore avec le tisonnier à une occasion. Le contre-interrogatoire ne fut pas très long. Devant l'avalanche de témoignages concordants, maître Francoeur n'avait plus aucun argument.

L'après-midi, le procès se poursuivit à la cour avec l'audition du témoignage d'Arcadius Lemay, voisin des Gagnon.

CHANGEMENT DE STRATÉGIE

Le lendemain, coup de théâtre, la stratégie de la défense changea complètement. On laissa tomber le plaidoyer de non culpabilité pour celui de la folie. Marie-Anne Houde était folle et ne pouvait être tenue responsable de ses actes.

Maître Francoeur se leva et fit part à la cour de son nouveau plaidoyer.

– Après avoir entendu la preuve telle que faite devant cette cour par les divers témoins, il nous apparaît très clairement que l'accusée, madame Télesphore Gagnon, a causé la mort de la petite fille Aurore Gagnon. Anticipant de la part du jury, un verdict conforme à cette opinion et avant que ce verdict soit prononcé, je crois de mon devoir d'attirer l'attention de la cour sur les circonstances vraiment extraordinaires qui ont entouré ce drame, et, en particulier, sur l'état d'âme que révèle chez l'accusée, la série d'actes anormaux et, dans notre opinion, pathologiques, qui ont entraîné la mort de cette enfant. D'accord sur ce point avec l'opinion publique en général, et fortifiés par les conseils de nos experts médicaux, messieurs les docteurs Marois et Daigneault, nous ne pouvons résister au besoin d'exprimer devant cette cour nos doutes sur l'état mental de l'accusée et, si la cour partage ses doutes, de suggérer qu'une commission d'experts médicaux soit nommée pour s'enquérir sur la responsabilité mentale de l'accusée. En d'autres termes, ils établiront si les actes qui ont entraîné la mort de la petite Aurore Gagnon ont été commis sous une influence pathologique ou sous l'influence d'une passion perverse, haine, avarice, colère, etc.

Le juge Pelletier consentit à accepter ce nouveau plaidoyer, car un article de loi permettait ce type de changement en cours de procès. Il le fit toutefois à contrecoeur. Il s'adressa aux jurés pour leur faire part de son regret. Il ne pourrait les libérer aussi tôt que prévu étant donné ce changement inattendu.

Les docteurs Marois et Fortier furent assignés par la cour pour examiner la condition physique de Marie-Anne Houde, car, avant le procès, elle déclara être enceinte de quelques mois. Dès le samedi, les experts de la défense défilèrent à la prison de Québec pour examiner l'accusée. L'évaluation psychologique pour la défense fut faite par Alcée Tétreault, médecin en chef de l'hôpital St-Jean-de-Dieu de Montréal, et par Albert Prévost, professeur à l'Université de Montréal et médecin à l'hôpital Notre-Dame.

Pour la poursuite, les services de Michel Delphis Brochu, surintendant de l'asile de Beauport, et de Wilfrid Derome, professeur à l'Université Laval, médecin-légiste et chef de laboratoire des recherches médico-légales, sont retenus.

La deuxième semaine du procès, le débat se transporta donc sur le plan médical et les experts commencèrent leurs témoignages dès le lundi.

Le premier expert fut le docteur Albert Prévost interrogé par maître Francoeur.

– Monsieur Prévost, quelle est la conclusion à laquelle vous en arrivez après votre examen de l'accusée ?

– J'en suis venu à la conclusion que Marie-Anne Houde souffre d'aliénation mentale. Elle m'a déclaré qu'à plusieurs occasions, surtout lors de ses grossesses, elle entendait des sons de cloches et des cris. Elle dit même avoir entendu son nom prononcé à plusieurs occasions. Elle présente aussi des troubles du goût qui lui font confondre différents aliments. Madame Gagnon affirme aussi avoir des hallucinations pendant ses grossesses. Elle voit des morts et des fantômes. De plus, elle a toujours été, dans son âge adulte, en état de grossesse, c'est donc dire qu'elle a toujours été plongée dans ces états hallucinatoires. Il semble y avoir une séparation nette entre son état de sensibilité et sa morale. Je m'explique: elle a commis des actes très graves, mais elle ne semble pas capable d'en réaliser le niveau de gravité. Je lui ai demandé si elle était consciente des conséquences de ce procès sur son destin et elle fut surprise du fait qu'elle ne rentrerait pas chez elle prochainement. Sur le plan physique, il y a des signes qui sont rattachés à l'aliénation mentale, comme par exemple le fait qu'elle ait un palais légèrement déformé et que les deux moitiés de son visage soient asymétriques.

– D'après vous, docteur Prévost, est-ce que l'accusée aurait pu vous induire en erreur en jouant la comédie?

– Elle ne le pourrait pas, car ces éléments que je viens de mentionner font partie de connaissances médicales accessibles seulement aux professionnels.

Le prochain expert appelé à la barre des témoins par la défense était le docteur Alcée Tétreault.

– Que pensez-vous, docteur, demanda maître Francoeur, de l'état de santé mentale de l'accusée?

– D'après mes constatations et d'après ce que j'ai entendu ici, je crois que l'accusée n'est pas saine d'esprit. De plus, ayant souffert d'une méningite à l'âge de douze ans...

– Cette allégation n'a pas été prouvée, monsieur le juge, objecta la couronne.

– Monsieur le juge, c'est le père de l'accusé qui a dit que le médecin...

– Désolé, maître Francoeur, mais ce à quoi vous faites allusion n'est qu'un ouï-dire qui ne vaut absolument rien devant cette cour, coupa le juge Pelletier. Le père nous a affirmé qu'il n'était pas présent lors des faits relatés.

– Nous dirons alors que l'accusée nous a dit qu'elle souffrait de maux de tête, rectifia maître Francoeur. Continuez, monsieur Tétreault.

– L'accusée m'a donc dit qu'elle avait souffert de maux de tête lorsqu'elle était jeune. Plus tard, elle a eu des douleurs aux reins et d'autres d'ordre menstruel depuis l'âge de dix-sept ans. Elle a aussi dit qu'elle souffrait de désordre de comportement lorsqu'elle était enceinte. Elle était alors beaucoup plus irritable. Même son mari nous a dit qu'il n'osait alors plus lui parler. Le fait que cette femme ait eu plusieurs grossesses de façon successive et le fait qu'elle put souffrir de méningite à l'âge de douze ans peuvent être des facteurs causant le délire. Je crois que l'accusée ne peut avoir conscience de ce qu'elle a fait. Personne, sain d'esprit, ne peut infliger des châtiments aussi graves à une enfant.

– Pensez-vous que l'accusée ait pu vous induire en erreur volontairement?

– Je ne le crois pas, car à toutes mes questions elle a répondu sans hésitation, spontanément.

La cour prit une pause pour le dîner et, au retour, ce fut au tour de la couronne d'appeler son premier expert, le docteur Michel Delphis Brochu.

– D'après les observations que j'ai faites chez l'accusée, je ne peux que conclure qu'il y avait bel et bien une intention criminelle dans les gestes qu'elle a accomplis. Tout le monde sait très bien que d'infliger des blessures à répétition peut entraîner la mort, même si aucun coup pris isolément n'est mortel. De plus, il est évident que l'accusée savait ce qu'elle faisait, car à plusieurs occasions, elle cherchait à camoufler ou à éloborer des motifs pour justifier ses actions violentes envers l'enfant. Par exemple, le fait qu'elle mettait elle-même des excréments dans les habits du père prouve qu'elle voulait pertinemment créer un climat qui justifierait les punitions à l'enfant. Le fait qu'elle disait aux autres enfants de ne pas parler de ce qu'elle faisait à Aurore prouve aussi qu'elle était bien au courant du caractère excesssif des sévices infligés. Dans mon esprit, ça ne peut faire aucun doute. Les plus graves atrocités ont été commises lorsque le mari était absent, ce qui prouve aussi que l'accusé savait que ses gestes étaient répréhensibles.

Finalement, ce fut au tour du dernier expert à venir témoigner.

– Docteur Wilfrid Derome, quelles sont vos conclusions concernant l'examen de l'état mental et la res-

ponsabilité de l'accusée dans les gestes qui lui sont reprochés? demanda maître Fitzpatrick.

   – Les actes qui sont reprochés à l'accusée ne peuvent être expliqués par la folie. Je suis d'accord avec les
conclusions du docteur Brochu et je dis aussi que, malgré la monstruosité extraordinaire dont a fait preuve
cette femme, la folie ne peut pas expliquer ses gestes. Il
faudrait pour cela retrouver dans le passé de l'accusée
des épisodes semblables. Cela n'a jamais été démontré,
et une méningite ne peut avoir de conséquences aussi
graves sur le jugement moral et la santé mentale d'un
individu. Je pense qu'elle connaissait exactement la
portée et les conséquences de ses actes.

LES PLAIDOYERS

   Le lendemain, le mercredi 21 avril, les deux parties
firent entendre leur plaidoirie. Maître Francoeur com-
menca en mettant l'emphase sur l'irresponsabilité de sa
cliente dans les actes de cruauté qui ont été relatés durant le procès. Marie-Anne Houde se trouvait dans un
état d'aliénation mentale que sa grossesse exacerbait.
De plus, elle n'avait aucune raison de vouloir la mort
d'Aurore Gagnon puisque l'accusée était l'héritière de
tous les biens de Télesphore Gagnon s'il venait à mourir. Quelle autre raison aurait-elle pu avoir pour souhaiter la mort de l'enfant, surtout en la martyrisant de

la sorte. Il ne faisait aucun doute pour maître Francoeur que les experts de la défense avaient raison de déclarer Marie-Anne Houde non responsable de ses actes.

Le tour de maître Fitzpatrick vint. Il se leva lentement et, regardant les jurés, expliqua encore une fois la gravité des gestes qu'avait accomplis l'accusée. En citant les experts de la couronne, il démontra que Marie-Anne Gagnon avait, à plusieurs occasions, donné la preuve qu'elle savait ce qu'elle faisait. Ce qu'elle voulait, c'était faire mourir Aurore Gagnon à petit feu afin de ne pas être tenue responsable. Les raisons pour lesquelles elle souhaitait la mort de l'enfant avaient peu d'importance. Ce qui avait de l'importance, c'était les témoignages, les très nombreux témoignages, des voisins, des citoyens de Fortierville qui avaient tenté de raisonner la belle-mère afin qu'elle cesse de battre ainsi Aurore. Surtout, les témoignages des autres enfants de la famille, même les enfants naturels de Marie-Anne Houde qui, sous la menace, n'avaient jamais osé parler de tout cela.

Marie-Anne Houde avait réussi à tuer Aurore Gagnon, mais Dieu avait permis que son crime ne passe pas inaperçu, c'est pourquoi elle devait recevoir le châtiment qui s'impose.

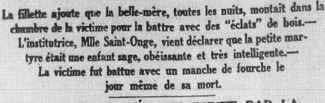

Le procès de Marie-Anne Houde a été suivi par tous les journaux de la province.

Une page de journal du 21 avril 1920 annonçant la condamnation
à mort de Marie-Anne Houde.

L'ADRESSE DU JUGE AUX JURÉS

Peu après l'heure du midi, ce fut au tour du juge Pelletier de faire son adresse au jury, adresse qui dura près de trois heures. Tout au long de l'intervention du juge, l'émotion était palpable autant dans la voix du magistrat que dans la salle d'audience. Plusieurs sanglots éclatèrent dans l'assistance.

Après l'explication de plusieurs points de droits, le juge indiqua que trois verdicts étaient possibles, soit le meurtre, l'homicide involontaire ou la folie. L'autre verdict dont avait parlé l'avocat de la défense dans son plaidoyer n'avait aucune valeur, celui d'homicide coupable, mais excusable.

Le juge Pelletier expliqua que la cause de la mort ne saurait être mise en question. Tous les rapports, à commencer par le rapport d'autopsie, indiquaient que l'infection des nombreuses plaies observées sur le corps de la victime avait causé la mort par affaiblissement généralisé.

Il a aussi passé en revue les différents témoignages des voisins, qui avaient fait observer à Marie-Anne Houde que l'état d'Aurore nécessitait des soins, que la dureté des corrections qu'elle et son mari administraient à l'enfant n'avait aucun sens, etc. Comme réponse à cette brave dame qui lui recommandait de faire venir un médecin, l'accusée lui répondit qu'elle ne dépenserait pas 50$ pour cette enfant, eux qui semblaient en moyen compte tenu de la belle grande ferme que le père possèdait.

La tentative de faire passer l'accusée pour folle en désespoir de cause n'avait pas impressionné le juge.

– S'il suffisait de se déclarer fou pour échapper aux conséquences de ses actes, nous aurions à vivre dans un monde bien étrange, déclara le juge.

Personne n'avait prouvé l'état de folie de l'accusée, surtout pas les experts de la défense que le juge pourfendit sans ménagement. Il eut des paroles très dures envers le docteur Prévost, qui réussit à faire un diagnostic très clairement en faveur de la folie après seulement quelques heures en compagnie de l'accusée, alors que tout le monde dans son entourage la considérait saine d'esprit. Au moins, le docteur Tétreault avait été moins catégorique dans son diagnostic. D'ailleurs, les gestes et les tentatives de camouflage de l'accusée, en plus des menaces et de la lettre qu'elle écrivit pour faire taire ses enfants devant les enquêteurs et le tribunal, prouvaient bien hors de tout doute qu'elle savait très bien que ses gestes étaient graves et répréhensibles.

Après les explications sur d'autres points techniques, sur les verdicts et sur les sentences qui s'appliqueraient, le jury sortit de la salle du tribunal à 4 heures 15 minutes.

À 4 heures 30, le juge Pelletier réapparut et annonca que le jury avait rendu son verdict. Il n'avait fallu que 15 minutes aux douze hommes pour se mettre d'accord. Le jury fit son entrée dans la salle d'audience. Après les formalités d'usage, le porte-parole du jury déclara que l'accusée était coupable du meurtre d'Aurore Gagnon.

«Les jurés de Notre Seigneur le Roi déclarent que Marie-Anne Houde, épouse de Télesphore Gagnon, de la dite paroissse de Ste-Philomène, a tué et assassiné Aurore Gagnon, fille mineure de dix ans, en lui infligeant, durant les douze mois qui ont précédé le décès de la dite Aurore Gagnon, des coups, des blessures et d'autres mauvais traitements qu'elle savait, la dite Marie-Anne Houde, de nature à causer la mort et dont la dite Aurore Gagnon est morte le douzième jour de février en l'année de notre Seigneur mille neuf cent vingt.»

Un silence complet figeait la salle d'audience. Le juge prit la parole pour remercier les membres du jury d'avoir fait leur devoir de citoyens et suspendit l'audience pour quinze minutes.

L'attente fut bien longue avant que le juge Pelletier ne revienne, surtout pour Marie-Anne Houde qui paraissait sangloter, toujours sous son épais voile noir. Finalement, le juge fit son entrée. L'accusée se leva et on lui demanda si elle avait quelque chose à ajouter avant le prononcé de la sentence. La réponse vint de son avocat qui déclara qu'il n'avait rien à ajouter.

Le juge visiblement troublé et épuisé par cette affaire, mais aussi par le poids de sa charge, prononça non sans difficulté que l'accusée avait été reconnue coupable de meurtre.

– J'ordonne que Marie-Anne Houde soit reconduite à la prison commune du district de Québec et y soit détenue jusqu'au vendredi, premier octobre, à huit heures du matin, où la dite Marie-Jeanne Houde sera pendue par le cou jusqu'à ce que mort s'en suive.

L'honorable Louis-Philippe Pelletier, un des juges les plus respectés de la Cour du Banc du Roi était courbé sous le poids de l'émotion. Il était de toute évidence affligé par ce procès. Ce fut d'ailleurs son dernier.

La peine de mort infligée à Marie-Anne Houde fut commuée en sentence d'emprisonnement à vie à la fin du mois de septembre 1920. Entre temps, elle donnera naissance à des jumeaux, un garçon et une fille, à la prison de Québec au mois de juillet. Le médecin de la prison, le docteur Gosselin, fit un rapport à la Cour pour l'informer de la bonne santé des enfants et de la mère. Ce qui arriva par la suite aux deux jumeaux est incertain. Certaines sources mentionnent qu'ils furent placés à la crèche, probablement pour être adoptés.

L'année suivante, Maire-Anne Houde fut transférée au pénitencier de Kingston. En 1933, elle aurait eu des problèmes de santé et fut opérée pour un cancer. Deux ans plus tard, le cancer semblait avoir récidivé et se serait propagé aux poumons. Elle mourut en mai 1936, à Montréal, après avoir été libérée parce que ses jours étaient comptés.

Le procès de Télesphore Gagnon eut lieu quelques jours à peine après le prononcé de la sentence de mort de Marie-Anne Houde. Le 4 mai 1920, au terme d'un procès aussi pénible que celui de sa femme, Télesphore Gagnon fut condamné à la prison à vie pour le meurtre de sa fille Aurore. On découvrit lors du procès qu'il était complètement dominé par sa femme et qu'elle le poussait à battre ses enfants, surtout Aurore, pour des raisons futiles.

L'adresse du juge à l'endroit du jury fut sans compromis. Après seulement 30 minutes de délibération, le jury prononça un verdict d'homicide involontaire.

Télesphore Gagnon fut incarcéré, puis libéré à l'été 1925 pour bonne conduite, après cinq années de détention. L'homme s'en retourna dans son village et fut accepté peu à peu par les membres de la petite commu-

nauté qui souhaitaient panser les blessures du passé.
Télesphore Gagnon se remaria quelques années plus
tard et eut d'autres enfants.

Télesphore Gagnon mourut en 1961, à Fortierville,
à l'âge de 78 ans.

MARIE, JE SUIS AVEC TOI POUR TOUJOURS

AURORE GAGNON
1909-1920
ENFANT DE
MARIE-ANNE CARON
ET DE
TELESPHORE GAGNON

Une nouvelle pierre tombale fut érigée dans les années 1990, sur la tombe d'Aurore Gagnon, dans le cimetière de Fortierville.
Il n'existe aucune photo de la petite Aurore Gagnon.

AUTRES SOURCES DOCUMENTAIRES À DÉCOUVRIR CONCERNANT L'HISTOIRE D'AURORE GAGNON

Les archives judiciaires du procès de Marie-Anne Houde et de Télesphore Gagnon aux Archives nationales du Québec, à Québec.

Le site Internet www.mysterecanadiens.ca

La Bibliothèque nationale du Québec, archives des journaux de l'époque.

Le Centre d'interprétation de Fortierville, à Fortierville (ouvert seulement durant la saison estivale).

AUTRES DOCUMENTS ROMANCÉS

Le roman d'Aurore, Pascale Hubert, Éditions du Bélier.

Aurore, l'enfant martyre, pièce de théâtre de Léon Petit-jean et Henri Rollin, Bibliothèque Québécoise.

Commandez notre catalogue
et recevez, en plus,

UN LIVRE CADEAU

et de la documentation
sur nos nouveautés *.

Remplissez et postez ce coupon à
LIVRES À DOMICILE 2000, C.P. 325, Succursale Rosemont, Montréal (Québec) CANADA H1X 3B8

LES PHOTOCOPIES ET LES FAC-SIMILÉS NE SONT PAS ACCEPTÉS.
COUPONS ORIGINAUX SEULEMENT.

Allouez de 3 à 6 semaines pour la livraison.

* En plus de recevoir le catalogue, je recevrai un livre au choix du département de l'expédition. / Offre valable pour les résidants du Canada et des États-Unis seulement. / Pour les résidents des États-Unis d'Amérique, les frais de poste sont de 11 $. / Un cadeau par achat de livre et par adresse postale. / Cette offre ne peut être jumelée à aucune autre promotion. / Certains livres peuvent être légèrement défraîchis.

Aurore, l'enfant martyre (#514)

Votre nom: ....

Adresse: ....

....

Ville: ....

Province/État ....

Pays: ....Code postal: ....

Date de naissance: ....

Aurore, l'enfant martyre (#514)

Aurore, l'enfant martyre (#514)

Aurore, l'enfant martyre (#514)

MEMBRE DU GROUPE SCABRINI

Québec, Canada
2005